とに～（アートテラー）著
青山裕企 写真

X-Knowledge

はじめに

若い人の間でレトロブームが巻き起こっているそうです。ということは、レトロな美術館ブームも来るのでは?!

そんな単純な思い付きからこの本は生まれました。

この本で紹介しているのは、僕が独断と偏見で選んだ34の美術館。〝レトロ美術館〟とは、ただ古いだけの美術館ではありません。登場する美術館の中には、１００年の歴史を持つ美術館もあれば、開館してまだ10年に満たない美術館もあります。大事なのは、レトロな趣があるかどうか。日本を代表する美術館から、一度は訪れたい穴場の美術館まで、幅広くセレクトしたつもりです。

今回改めてレトロ美術館を訪ね歩いてみて実感したのは、ホワイトキューブの展示室がほとんど無かったこと。ホワイトキューブとは、真っ白い壁で構成された箱形の展示空間。鑑賞者が美術作品だけに集中することができることから、現在、日本を含む世界各地の美術館やギャラリーのスタンダートとなっています。対して、レトロ美術館の壁は煉瓦や板など、個性豊かな素材でできています。それだけに、ホワイトキューブのように美術作品だけを観るのは至難の業。美術作品を鑑賞している時に、確実に展示空間も目に飛び込んできます。しかし、それこそがレトロ美術館の最大の魅力。美術作品と空間の組み合わせを楽しむ。世界広しといえども、この美術館だけの鑑賞体験が得られるのです。

そういう意味では、レトロ美術館は、〝美術ってよくわからなくて……〟と感じている初心者の方にもオススメ！　美術を鑑賞しないと、と身構えるのではなく、美術館の雰囲気を体験しに行く。そんな気軽さで、レトロな美術館を巡ってみましょう。レトロな喫茶店やレトロな銭湯、レトロな映画館を巡るように。

最後に、皆様に一つお詫びを。この本では各美術館の見どころを写真と文章でなるべく多く紹介したつもりではいますが、残念ながら、匂いや音、肌で感じる空気感までは紹介できませんでした。申し訳ありません。それらもすべて合わせて、素敵な美術館なのです。くれぐれも、この本を読んだだけで、訪れたつもりになりませんように。

目次

デザイン：Happy and Happy　印刷・製本：シナノ書籍印刷

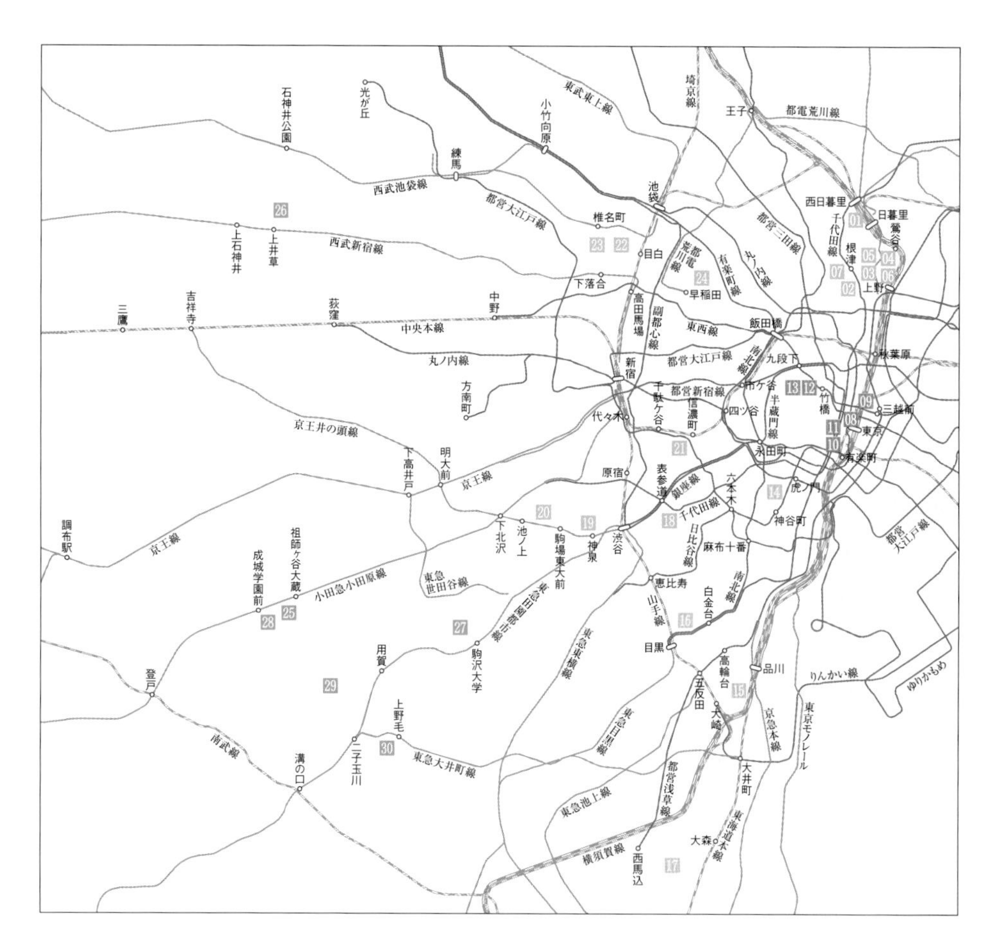

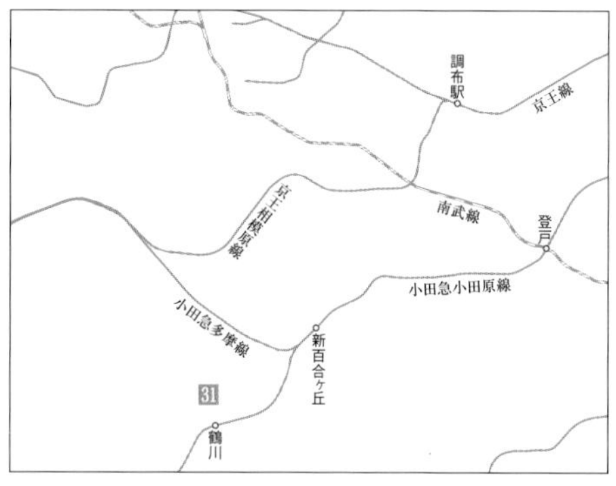

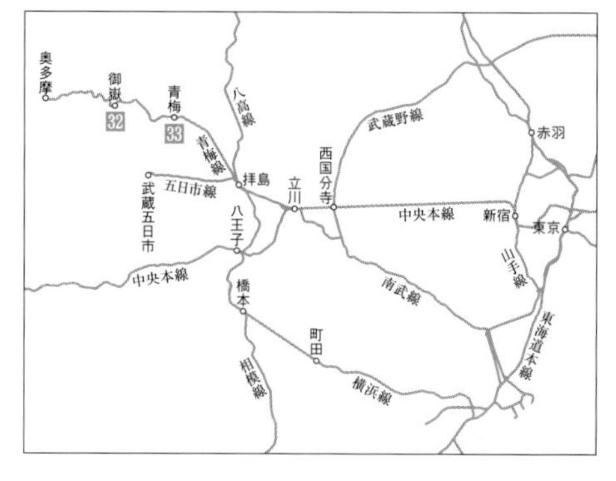

※閉館30分前までなど、入館時間に制限がある美術館があります。

※併設のレストラン、カフェ、ショップの開館時間は、美術館とは異なる場合があります。

※休館日は美術館が定めている休館日を表示しています。記載の休館日の他にも、展示替えその他で臨時休館することがあります。

※原則的に最寄り駅をあげていますが、複数のアクセス方法がある場合があります。バス便などの詳細も、各施設の案内をご覧ください。

※原則的に一般料金のみを表示しています。(　)内は団体割引料金です。企画展による特別料金設定や各種割引がある美術館もあります。

※本書の情報は2020年1月現在のものです。予告なく変更になる場合がありますので、来訪にあたっては詳細を各施設へご確認ください。

Chapter 1 上野・本郷

東京、いや、日本最大の芸術タウン上野。わが国で初めて公園に指定された上野恩賜公園（うえのおんしこうえん）の周辺には、多数の国立ミュージアムや東京藝術大学があります。駅から近いこともあって、上野でお目当ての美術館を訪れた後は、そのまま駅に引き返して帰ってしまう（もしくは、アメ横で買い物する）方が少なくないですが、時間に余裕があれば、隣接する本郷エリアにも是非足を伸ばしたいところ。

夏目漱石（なつめそうせき）や樋口一葉（ひぐちいちよう）といった文人たちが居を構えた街として知られている本郷には、実は多くの芸術家やコレクターも住んでいました。木造の家屋や井戸など、昔の生活がそのまま残っているレトロな街並みを散策しつつ、彼らの痕跡（こんせき）を尋ねてみてはいかがでしょうか。

猫好きの彫刻家こだわりの城

朝倉彫塑館（あさくらちょうそかん）

屋上庭園。朝倉邸は日本の屋上緑化の先駆けでもある

高窓から光が注ぐ、天井が高いアトリエ。朝倉はここで制作に没頭した

かつてのアトリエには名作がずらり

1.高さ3.78mという巨大な≪小村寿太郎像≫。この像の下には制作の際に、作品を上下させる電動昇降台がある。右頁写真の左側に見切れているのがこの像の膝。とに～の胸くらいの高さだ 2.アトリエ南側のテラスには鉢植えが。朝倉は東洋ランの栽培にも造詣が深かった 3.かつての書斎。蔵書も当時のまま

猫の街として知られる谷中。しかし、実際に街を歩いてみると、なかなか猫には出会えません。猫に逢いたい。もし、そう思ったなら朝倉彫塑館へ！こちらは、彫刻家・朝倉文夫（あさくらふみお）のアトリエ兼住居を公開する美術館。多い時には10匹以上の猫を飼っていたという猫大好きな朝倉文夫の愛らしい猫たちに出逢えますよ。

さて、サラッと登場した『彫塑（ちょうそ）』という言葉。これは、朝倉の師が提唱した造語。彫り刻む技法「彫刻」と粘土などをこねて形作る技法「塑造（そぞう）」を合わせたものです。朝倉は終生この言葉にこだわったそう。くれぐれも彼の彫塑作品を観て。「わー、どうやって彫ったのかなぁ？」などとは口にしませぬように。

建物内には、猫をモチーフにした作品はもちろん、朝倉が得意とした人物像も建物のいたるところに展示されて

朝倉流の美意識を五感で感じよう

1.豊かな水で満たされる中庭。雨の日に来ても趣き深い 2.三日月型のデザインがかわいい廊下の照明。隅々まで朝倉のセンスが光る 3.屋上からは普請道楽の全貌が見える

います。それだけじゃありません。実は、その建物自体も朝倉作品なのです。設計・監督したのは、朝倉本人。当初は小さな建物だったそうですが、まるで作品を形づくるかのように増改築を重ね、数寄屋造りの住居部分と鉄筋コンクリート造3階建てのアトリエ部分が融合した唯一無二の建築を作り上げました（さすがに、本人が鉄筋コンクリートをこねて作ったわけではないですが）。竣工した1935年当時、鉄筋コンクリート造の建築はまだ珍しかったそう。ご近所さんは、さぞかしビックリしたことでしょう。

　ビックリしたといえば、朝倉彫塑館の入り口での話。ふと上を見上げると、屋上に怪しい人影が！　砲丸を片手に、こちらを見下ろしています。不審者?!　その正体は、砲丸投の選手をモチーフにした朝倉作品でした。写実的にもほどがありますよ。

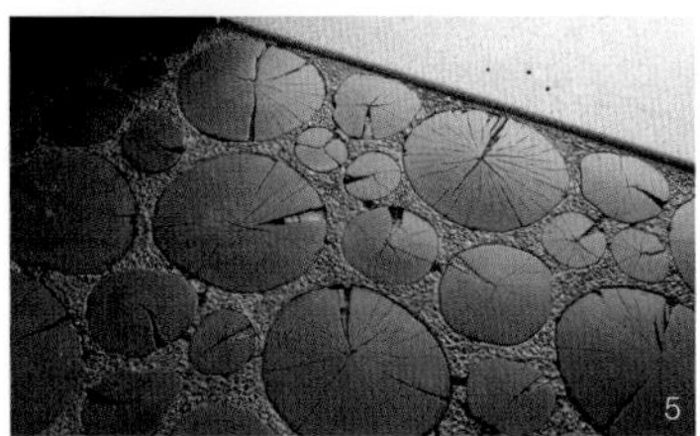

4.女中さんや書生さんを呼び出すための呼び鈴。結構ハイテク 5.玄関土間は、玉砂利洗い出しに丸太を埋め込んだ仕上げ。他では見ない手の込んだつくり 6.作品名は≪よく獲たり≫。朝倉はやっぱり猫が好き 7.真鍮のドアノブ。経年により変化した色合いが素敵 8.本文で紹介した砲丸選手。アップにすると超ド級の迫力がある 9.建物正面。屋上の≪砲丸≫の他に玄関にも左手を挙げた≪生誕≫が。こちらもお見逃しなく！

あさくらちょうそかん
朝倉彫塑館

設計＝朝倉文夫／1935年

開＝9:30〜16:30（最終入館16:00）／休＝月曜・木曜日（祝日の場合は開館、翌平日休館）、年末年始、保守点検・展示替え等のために臨時休館する場合も有

入館料＝大人500円（300円）、小・中・高校生250円（150円）

アクセス

東京都台東区谷中7-18-10／JR、京成電鉄京成線、日暮里・舎人ライナー「日暮里駅」北改札西口から徒歩5分

とに〜のここも見て!!

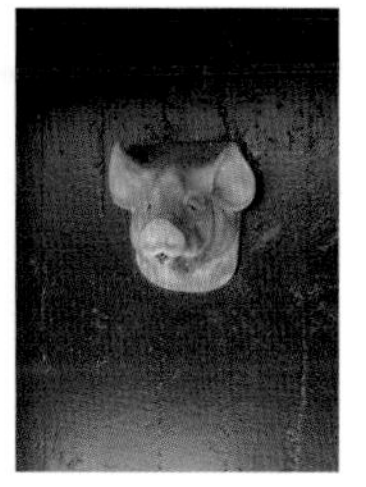

菜園だった屋上から階段を降りると、そこに水場が現れます。ごく普通に水を出し、ごく普通に手や野菜を洗っていたのであろうごく普通の水場。でも、ただひとつ違っていたのは、水の出口が豚だったのです！

大観さん家で名作をじっくり味わおう

横山大観記念館

写真は新緑の夏。春は桜の花がもてなしてくれる

門構えも立派です！

1.1階の展示室。展示品は3カ月に1回掛けかえられる 2.不忍通りに面する立派な門構え。学芸員さん曰く、不忍通りは当時の有名人が住む現在の六本木のようなところだったそう 3.2階展示室から中庭を見下ろす。すべての部屋から中庭が見える造りとなっていることがわかる。ここから不忍池のスワンボートも見ながら、ちょっと休憩するのも楽しい

上野池之端の不忍通りを歩いていると、風格ある立派な門構えが目の前に現れます。門をくぐると、そこに広がっているのは緑あふれる前庭と数寄屋造り風の日本家屋。まるで老舗料亭のような佇まいですが、この建物内で味わえるのは、懐石料理ではなく、近代日本画の巨匠・横山大観の絵画作品。そう、こちらは横山大観記念館。大観自身が設計し、90歳で亡くなるまでずっと住み続けた自宅兼画室です。

季節ごとに掛け替えられる絵画はガラスケース越しではなく、各部屋の床の間に直に飾られています。これは、お客さんに日本画本来の展示方法で絵を楽しんでもらうため。美術館のように立って鑑賞するもよし、畳敷きなので座って鑑賞するもよし。「大観さん家」に招かれた気分で、リラックスして絵画を楽しみましょう。

さてさて、大観記念館で日本画とと

画題にもなった美しい日本庭園

客間からは手入れの行き届いた庭が見える。建物だけでなく庭も大観の設計

もに楽しみたいのが、大観が愛した庭の眺めです。若き日の大観が過ごした茨城県の五浦にあった洞窟の名から、その名が付けられたという客間「鉦鼓洞」。この部屋からは、四季折々で表情を変える美しい日本庭園を臨むことができます。大観が手塩にかけて造り上げた日本庭園は、文字通り、どの角度から見ても絵になります。この日本庭園も、大観の絵画作品といえるかもしれません。また2階にある画室の窓からは、大観お気に入りだったという不忍池が一望できます。もしかしたら、制作の合間に、この場所からボートを眺めていたのかもしれませんね。

余談ですが、横山大観記念館では、なんと御朱印をいただけます。しかも、大観が作品に実際に使用していた落款印を押印してもらえるのです。そんな貴重な御朱印をゲットすれば、画力がアップすること間違いなし?!

戦中は国立博物館に預かってもらうほど大切にしていた

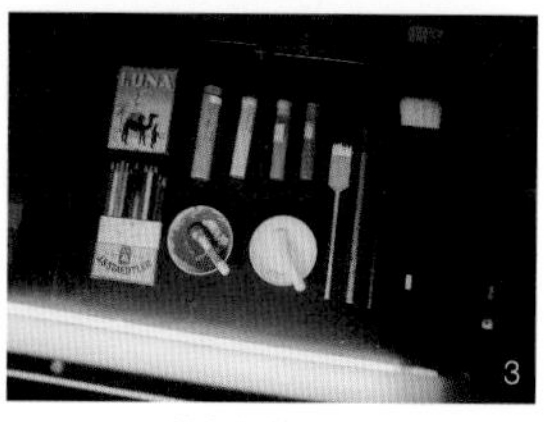

1.大観の画室。床の間には冨田渓仙「夜桜」。大観が所蔵していた書画が展示されている 2.広い縁側から美しい庭が見える。窓ガラスも当時のまま。ガラス面のゆがみにも趣を感じられる 3.大観の画材。スケッチには色鉛筆も愛用していた 4.画室の入口には「大観 鉦鼓洞主」の文字 5.大観が客間に飾っていた≪不動明王≫。藤原時代につくられた重要文化財

横山大観記念館

竣工＝1909年ごろ

開＝10:00～16:00(最終入館15:30)／休＝月曜～水曜日(開館整備のため夏期と冬期に長期休館日がある)、展示替え等のために臨時休館する場合も有

入館料＝大人800円(650円)、中・高校生300円(200円)、小学生300円(200円)、障がい者650円(障がい者20名以上の料金)、年間パスポート2,200円

アクセス

東京都台東区池之端1-4-24／東京メトロ千代田線「湯島駅」3出口から徒歩7分・銀座線「上野広小路」A4出口から徒歩12分、JR「上野駅」北口から徒歩15分、京成電鉄京成線「京成上野駅」池之端口から徒歩15分／都バス上60系大塚駅前行き・上26系亀戸駅前行き・上58系早稲田行き「池之端1丁目」下車徒歩1分

とに～のここも見て!!

大観の画室だった部屋には、ペンションなどでよく見かける思い出ノートがあります。中には、来館者が自由に書いた感想やイラストがビッシリ。大観になった気持ちで僕も描いてみました。でも、絵のできは僕のまま……。

地味にすごい!レトロ建築にも注目

東京都美術館（とうきょうとびじゅつかん）

最も来館者にスルーされることが多いエスカレータを下りてすぐのピロティ。
実はここに「東京都美術館」の文字が。たまには立ち止まって見てみよう

実は建築もすごい！　トビカン！

エントランス右手に進み、階段を数段下りるとひっそり展示されている石膏レリーフ。ジョセフ=アントワーヌ・ベルナール≪舞踏≫

日本初の公立美術館である東京都美術館（通称、トビカン）。誰もが気軽に訪れることのできる「アートへの入口」を目指し、西洋美術や日本美術、さらには現代アートと、実に幅広いジャンルの人気展覧会を開催しています。それに加えて、２００を超える公募団体が絶えず公募展を開催。多い時には、一日1万人以上も動員する日本で最も人が集まる美術館の一つです。

しかし、その一方で、トビカンは日本で最も建物を見てもらえない美術館でもあるのです。その理由は、大半のお客さんが、お目当ての展覧会を観るためだけに訪れているから。あとは、正門を入ってすぐのところにある銀色の球体（実は、井上武吉（いのうえぶきち）の彫刻作品です！）で記念写真を撮る程度。美術館そのものが意識される機会は、ほとんどありません。

あぁ、なんともったいないことで

1. ロッカーの幾何学模様とペンダント照明の組み合わせがかっこいい 2.前身の東京府美術館の模型 3.1階には美術情報の収集もできるアートラウンジがある 4.少し暗めで落ち着くエントランスはレトロ美術館ならでは

タイルの孔には秘密が……！

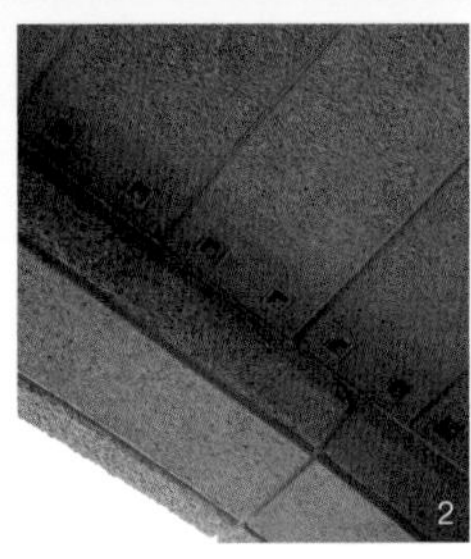

1.煉瓦のように見える外壁は、実はタイル。「打ち込みタイル」と呼ばれる、仕上げのタイルと構造体であるコンクリートを同時に固める工法でつくられている。タイルの孔は、コンクリートにタイルを固定するためにできたもの
2.ピロティ部分の庇には銅の釘隠し
3.柱はコンクリートが固まった後に、ノミなどでざらざらとした質感に加工している

しょう！ ル・コルビュジエの弟子にして丹下健三の師である前川國男によって設計され、1975年に開館した2代目の建物は、見どころがいっぱいあるのに。打ち込みタイルに、かまぼこ天井、斫り加工されたコンクリートの外壁などなど、挙げればキリが無いほど。それらを詳しく解説するには誌面が足りないので、もっと知りたい方は、是非トビカンが奇数月の第3土曜日に開催する建築ツアーにご参加くださいませ。

　また、建築以外にも、前川自身が設計した椅子や前川建築によく登場する「おむすび型」のテーブルなど、館内のあちこちで彼のこだわりが見て取れます。その究極ともいえるのが、レストラン。グルメだった前川によって、もっとも眺めがよい中央部分は、美術に関するスペースではなく、レストランが設置されたのだそうです。

4.井上武吉≪my sky hole 85-2 光と影≫ 5.堀内正和≪三本の直方体B≫ 6.建物の奥には上野公園の緑がちらり。建物の高さを抑えて緑を見せるおもてなしの心

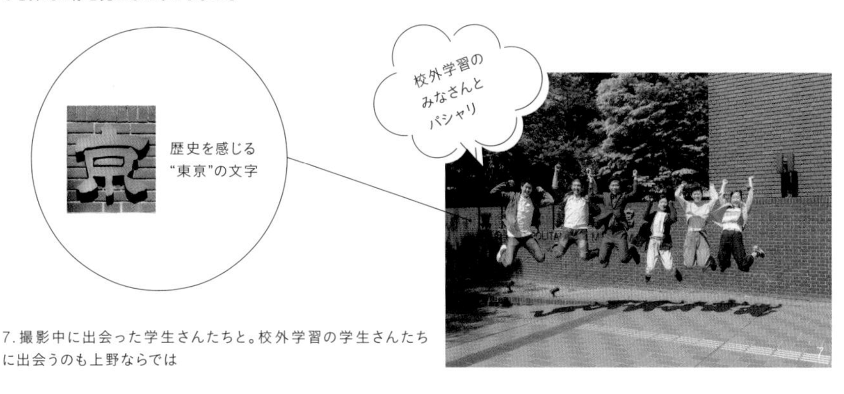

7.撮影中に出会った学生さんたちと。校外学習の学生さんたちに出会うのも上野ならでは

東京都美術館（とうきょうとびじゅつかん）

設計＝前川國男／1975年
開＝9:30～17:30、特別展開催中の金曜は9:30～20:00（入館は閉館の30分前まで）／休＝第1、第3月曜日、特別展・企画展は毎週月曜日（祝日の場合は開館、翌平日休館）、年末年始、整備休館日も有
入館料＝無料　観覧料＝展覧会ごとに異なる

アクセス
東京都台東区上野公園8-36／JR「上野駅」公園口から徒歩7分、東京メトロ銀座線・日比谷線「上野駅」7出口から徒歩10分、京成電鉄「京成上野駅」公園口から徒歩10分

とに～のここも見て!!

東京都美術館の交流棟の裏、上野公園の一角にポツンと一基の碑。江戸時代後期の人気絵師・谷文晁（たにぶんちょう）の碑です。1931年開催の文晁遺作展覧会の際に建てられた碑なのだとか。素通りされがちですが、東京府美術館時代をしのぶ貴重な痕跡（こんせき）です。

東京ドーム2.2個分！日本美術の殿堂

東京国立博物館（とうきょうこくりつはくぶつかん）

今回は、本館、表慶館、東洋館をご案内します！

表慶館に入って、すぐ現れるのがこのドーム。
天窓を囲むのは(半立体のレリーフに見えるが)陰影まで巧みに描かれた細密画。ぜひじっくり鑑賞してほしい
表慶館は特別展・イベント開催時を除き休館。作品はすべて展示替えがある

まずは表慶館！

1.表慶館の外観。上層部の外壁面には製図用具、工具、楽器などをモチーフにした装飾がある 2.表慶館を設計したのは宮廷建築家としても知られる片山東熊。階段を上っていくと、まるで宮廷に招かれたような気分に 3.華やかさを象徴するネオ・バロック様式の階段ホール。手摺のひとつひとつが美術品のような美しさ 4.フランス産の大理石でつくられたモザイクタイルは全部で7色 5.アイアンワークの手摺も優美

誰もが一度は訪れたことがあるであろう、〝日本美術の殿堂〟東京国立博物館（通称、トーハク）。本館の正面玄関をモチーフに「博物館」を表す地図記号がつくられたという名実ともに日本を代表するミュージアムです。

そのコレクションも質・量ともに日本トップクラス。実に11万件以上を超える所蔵品のうち約3千件が、総合文化展という形で常時公開されています。入替えのペースは、（作品によるが）主に1〜2カ月ほど。何度訪れても新たな作品と出会えます。日本で最も歴史の長い明治に開館した博物館ながらも、いつでも新鮮な気持ちで鑑賞することができるのです。

そんなトーハク、もちろん展示作品も名品揃いですが、建物だって名建築揃い。本館以外にも、当時の皇太子（後の大正天皇）の御成婚を祝して建設されたネオ・バロック様式の表慶館、和

本館大階段はトーハクの顔

1.近代の美術を展示する本館18室 2.本館外観。帝冠様式と呼ばれる和洋折衷の建築を得意とした渡辺仁の設計。76頁の原美術館と同じ建築家

3.玄関を入るとまず現れるのが豪華！大階段。大理石の手摺には鋳物の装飾が施されている

風モダニズムを感じる外観が特徴的な東洋館、室内に円山応挙のものと伝えられる墨画が描かれた応挙館（茶室の利用は公式HPを確認）など、東京ドーム約2.2個分もある広い敷地内には、年代もスタイルも多様な建築が存在しています。それらもまたトーハクの大事な作品といえましょう。

　さて、せっかく訪れたからには、トーハクの作品ぜんぶ見る。そんな大作戦を決行したい方もいらっしゃるはず。どれくらいの時間が必要なのか。公式HPには、こうあります。「じっくり見たら一日では到底見終わらないでしょう。」『到底』というワードに、並々ならぬものを感じますね。時間だけでなく体力にも余裕をもって臨みましょう。疲れた際のオススメ休憩スポットは、宝相華の文様の壁が印象的な本館1階のラウンジ。ここからは緑が美しい日本庭園が一望できます。

4.本館1階ラウンジの片隅に置かれた黒電話。今でも現役！ 5.モザイクタイルで線描を施し、その周囲の凹凸を漆喰にニス塗りで仕上げた宝相華文様。光があたる角度によって表情が変わる 6.テラス側に設けられた扉はアール・デコ調。ここだけ見るとまるで外国のよう 7.扉にもアール・デコ調の蔦の文様が施されている 8.1階ラウンジを出ると小さなテラスが。春には桜が楽しめる

モダニズムの東洋館は別世界

1.エジプトの神殿をイメージした展示室 2.東洋館の外観。19世紀初頭に流行したモダニズム建築。設計は谷口(たにぐち)吉郎(よしろう)

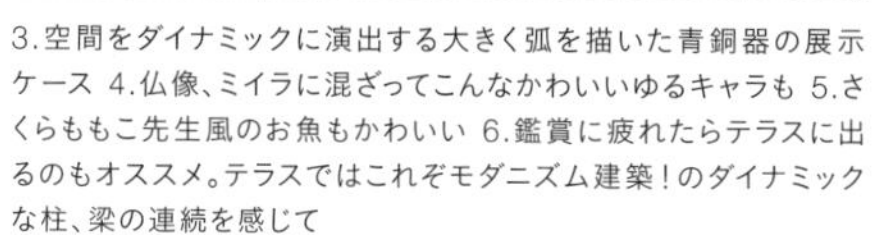

3.空間をダイナミックに演出する大きく弧を描いた青銅器の展示ケース 4.仏像、ミイラに混ざってこんなかわいいゆるキャラも 5.さくらももこ先生風のお魚もかわいい 6.鑑賞に疲れたらテラスに出るのもオススメ。テラスではこれぞモダニズム建築！のダイナミックな柱、梁の連続を感じて

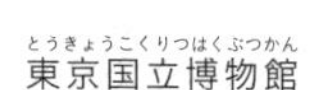

東京国立博物館（とうきょうこくりつはくぶつかん）

設計＝片山東熊／1909年（表慶館）
渡辺仁／1938年（本館）
谷口吉郎／1968年（東洋館）

開＝9:30〜17:00、金曜・土曜日は9:30〜21:00（入館は閉館の30分前まで）／休＝月曜日（祝日の場合は開館、翌平日休館）、年末年始

入館料＝大人620円（520円）、大学生410円（310円）、18歳未満、70歳以上は無料（2020年4月以降の料金は、公式HP等でご確認ください）。特別展は展覧会により異なる

アクセス

東京都台東区上野公園13-9／JR「上野駅」公園口または鶯谷駅南口から徒歩10分、東京メトロ銀座線・日比谷線「上野駅」7出口から徒歩15分、京成電鉄京成線「京成上野駅」公園口から徒歩15分

とに〜のここも見て!!

東洋館のあちこちで見かけるトランク。実は、内部にモニターがあり、展示品の見どころを映像でガイドしてくれる優れものです。このトランク1つだけで、アジア文化の浪漫な世界へ In The Sky。

日本近代洋画界の父に感謝！

黒田記念館

威風堂々、存在感のあるレトロ建築を設計したのは、
大阪市中央公会堂や旧歌舞伎座などの建築で知られる岡田信一郎

1.特別室でゆったり鑑賞できる黒田の名作。年3回、新年、春、秋に各2週間、公開している 2.天窓の周囲には細密な漆喰装飾が施されている 3.上野界隈でもめったに混雑しない穴場。自分のペースで絵画を楽しもう 4.こっくりとした特別室の深緑色の壁に絵画が映える

洋画家として、教育者として、美術行政家として、日本美術界に大きな影響を与えた〝日本近代洋画界の父〟黒田清輝。彼が残したものは、教科書でお馴染みの《湖畔》や《智・感・情》だけにあらず。彼は死去に際して、遺産の一部を美術の奨励事業に役立てるよう遺言。それを受けて1928年に竣工したのが、黒田記念館です。自分が死んだ後の日本美術界についても考えを巡らせていたなんて。さすがは〝日本近代洋画界の父〟です。開館当初は、黒田の遺作を展示する黒田記念室と、主に文化財の保存修復を研究する東京文化財研究所の前身にあたる美術研究所が設置されていたそう。しかし、研究所の移転に伴い、2001年に現在のようなミュージアムへと生まれ変わりました。

そんな黒田記念館を設計したのは、黒田と同じ東京美術学校で、建築の教

創建当初のままの空間でゆったり鑑賞

黒田のアトリエの再現。イーゼルや椅子は遺族から寄贈されたもの

授を務めた岡田信一郎（おかだしんいちろう）。スクラッチタイルとギリシア神殿風の列柱が特徴的な建築は、上野界隈の中でもとりわけ威風堂々とした重厚感を放っています。それゆえ、初めての人にとっては、ちょっと入りづらいかもしれません。しかし、少しだけ勇気を出して、クラシカルな黒い扉を開いてみましょう。その外観とは対照的に、館内はなんとも居心地のよい雰囲気が漂っています。特に2階の展示室へと向かう階段の途中にある窓から差し込む自然光が、実に優しげな印象を生み出しています。自然光と言えば、開館当時の展示室は、天井に窓を設けて自然光を採り入れていたそうです（現在は作品保護のため人工照明が使用されています）。

　日本の洋画に明るい表現を持ち込んだ外光派の黒田清輝。その記念館もやはり外光が欠かせないようです。

1.入口のアーチ形とリンクする半円形と四角形を組み合わせた窓 2.アールヌーヴォー風の階段手摺の装飾は、岡田信一郎の弟子の建築家の金沢庸治がデザイン 3.なんとも高級感のある赤いじゅうたんに踏み出せば、竣工当時の1928年にタイムトリップしてしまいそう……

とに～のここも見て!!

両扉それぞれに「郵便受函」が取り付けられています。西洋の風の神ゼフュロスをデザインしたものだそうです。両手で口を左右にイーッと開くゼフェロス。その口の中に郵便を投函する人は、ちょっと困惑しそう。

黒田記念館

設計＝岡田信一郎／1928年
開＝9:30～17:00(最終入館16:30)／休＝月曜日(祝日の場合は開館、翌平日休館)、年末年始
入館料＝無料

アクセス

東京都台東区上野公園13-9東京国立博物館内／JR「上野駅」公園口または鶯谷駅南口から徒歩10分、東京メトロ銀座線・日比谷線「上野駅」7出口から徒歩15分、京成電鉄京成線「京成上野駅」公園口から徒歩15分

ル・コルビュジエのテクニックに魅了

国立西洋美術館

19世紀ホール。コンクリートの丸柱を近くでよく見ると木目が見える。
これはヒメコマツという木材の型枠の木目をコンクリートが写し取ったもの

1.ロダンの≪考える人(拡大作)≫。なかなか見られない後ろからのショット 2.柱で建物を浮かせた「ピロティ」と呼ばれる空間。実はこのピロティもル・コルビュジエが世界ではじめて提案したもの 3.ロダンの≪地獄の門≫。国立西洋美術館の収蔵作品のブロンズは「松方コレクション」を築いた松方幸次郎氏の注文によって鋳造された

「ル・コルビュジエの建築作品―近代建築運動への顕著な貢献―」として、2016年に都内初となる世界文化遺産に登録された国立西洋美術館。常設展示と併せて、ル・コルビュジエの建築のこだわりポイントも鑑賞いたしましょう。まずは、正面入口付近にある名前からしてレトロな本館の「19世紀ホール」。2本の大きな柱だけで支えられた巨大な吹き抜け空間です。ロダンの彫刻を、三角形の天窓からの自然光が照らします。次に長めのスロープで移動して、2階の展示室へ。目線が上がるにつれて、2階の展示室が少しずつ見えてきます。ル・コルビュジエ一流の焦らしテクニックです。

2階展示室の天井にも彼のこだわり。36頁写真のように、天井の低い部分と高い部分があります。彼が理想とした男性の身長183cmを基準にし、低い方は183cmの人が手を伸ばした

無限成長美術館の未来に思いを馳せる

天井高を低く抑えた部分は黒の仕上げ。一方高い部分は白の塗装としている。対比的な色使いが、高さをより強調して広がりを感じる

ときの226cm、高い方はその2倍の452cmにバルコニーの床の厚さを加えた高さです。ただし、日本人男性の平均身長は約170cm。彼の理想には遠く及びませんが。

さて、本館はル・コルビュジエが長年温めていた「無限成長美術館」のコンセプトが体現されています。将来的に収蔵品が増えることを見越し、巻貝が成長するがごとく展示室が渦を巻きながら外側へと増築できるのです。しかし、残念ながら、開館20周年記念の年に誕生した新館や1997年に誕生した企画展示館は、巻貝のようには増築されませんでした。とはいえ、ル・コルビュジエが夢見た通り、国立西洋美術館は成長し続けています。この先、一体どんな成長をするのだろうか？ その頃には平均身長も伸びているのだろうか？ 前庭の《考える人（拡大作）》の前で、考えたくなります。

1.新館から中庭越しに本館を見る。鑑賞に疲れたら緑に癒やされよう 2.2階の窓からはル・コルビュジエの弟子である前川國男の東京文化会館が見える。ル・コルビュジエへの敬意を示すため、建物の高さを国立西洋美術館に揃えたといわれている 3.名作椅子に座れるのもレトロ美術館の魅力。LC2などもあるので、ぜひ座ってみて！

とに〜のここも見て!!

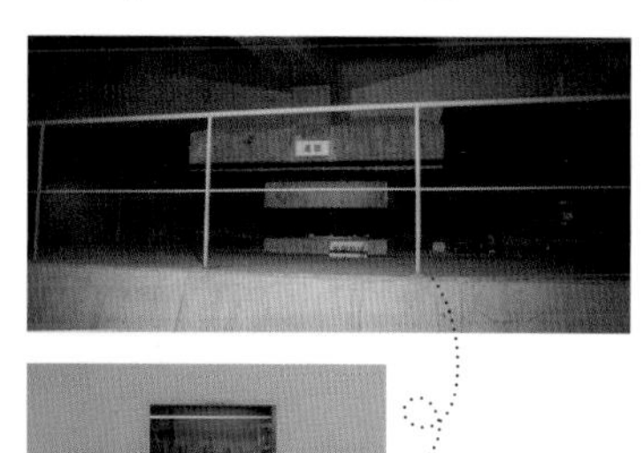

1996年にル・コルビュジエが設計した建築の姿をそのまま残すため、建物を動かさずに建物下に免震装置を取り付けるという難工事が行われました。地下の休憩スペースの小窓から、免震装置が見られます。建物と美術品の安全を、緑の下の彼らが守っているのですね。

こくりつせいようびじゅつかん
国立西洋美術館

設計＝ル・コルビュジエ／1959年（本館）
　　前川國男／1979年（新館）
開＝9:30〜17:30（最終入館17:00）、金曜・土曜日は9:30〜20:00（最終入館19:30）／休＝月曜日（祝日の場合は開館、翌日休館）、年末年始
常設展観覧料＝一般500円（400円）、大学生250円（200円）、高校生以下および18歳未満、65歳以上は無料、企画展は展覧会により異なる

アクセス

東京都台東区上野公園7-7／JR「上野駅」公園出口から徒歩1分、京成電鉄京成線「京成上野駅」から徒歩7分、東京メトロ銀座線・日比谷線「上野駅」から徒歩8分

明治・大正・昭和の乙女心にドキドキ

弥生美術館・竹久夢二美術館

屋根の上に載っている石膏像は、大正から昭和にかけて活躍した彫刻家・梁川剛一≪母の夢≫。梁川は、児童雑誌や絵本などの挿絵画家としても活躍した。1階左手の石膏像とレリーフも梁川の作品。入り口右手のパネルは、撮影時の企画展のもの

1.夢二美術館1階展示室の蓄音機。この日の曲は「竹久夢二 響きの美術館」。明治〜昭和の名曲を楽しめる 2.鹿野が蒐集した夢二作品や関連資料は約3,300点。何度来ても新しい作品と出会える 3.夢二美術館と弥生美術館をつなぐ渡り廊下には女の子や動物のキュートなイラストで知られる水森亜土の作品がある。2003年開催の水森亜土展の際に制作された作品が常設展示されている 4.木製の展示ケースもレトロ

都内屈指のレトロなエリア・谷根千。その一角に、いかにもレトロな美術館があります。弁護士として生涯現役を貫いた鹿野琢見が私財を投じて建てた美術館です。ぱっと見は、1つの美術館のようですが、実は入り口のある建物の隣に、もう1つの美術館があります。

まず入り口のある建物が、弥生美術館。明治から昭和にかけての出版美術、特に雑誌や漫画、付録の挿絵にスポットを当てたユニークな美術館です。1、2階の展示室では年4回、本来脇役である挿絵を主役とした企画展を開催しています。時代を彩った挿絵の数々。その魅力は今も色褪せてはいません。当時を知っている人はもちろん、知らない人でも惹きつけられるものがあります。また、館の3階は、鹿野が美術館を創設するきっかけとなった人物、大正時代から昭和初期にかけ

ノスタルジックな雰囲気に夢見心地……

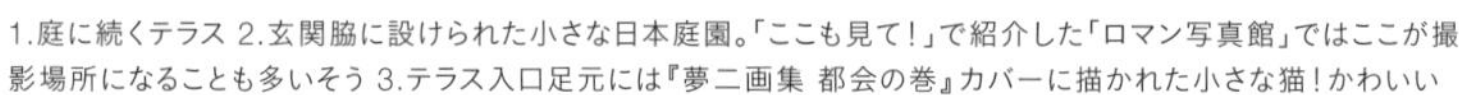

1.庭に続くテラス 2.玄関脇に設けられた小さな日本庭園。「ここも見て！」で紹介した「ロマン写真館」ではここが撮影場所になることも多いそう 3.テラス入口足元には『夢二画集 都会の巻』カバーに描かれた小さな猫！かわいい

て活躍したカリスマ挿絵画家・高畠華宵の展示室となっています。作品は3カ月に1度、展示替えをしています。

その弥生美術館と渡り廊下で繋がっているのが、竹久夢二美術館。鹿野氏の夢二コレクションを展示公開する美術館です。竹久夢二は、大正ロマンを代表する画家。いわゆる「夢二式美人」と呼ばれる美人画を含む約200〜250点が展示された空間にひとたび足を踏み入れると、一瞬にして大正時代にタイムスリップしたかのような錯覚を覚えます。耳をすませば、ノイズがかったレコードの音が聴こえてくるかのよう。

どちらの美術館も、いつ訪れてもノスタルジックな気持ちになれます。さらには、ちょっとおセンチな気分にも（↑この言葉がレトロ）。ちなみに、二館のチケットは共通。1枚で2度おいしい美術館です。

4.カフェ・港や。柱時計などの調度品も時代感がある 5.夢二「最後の手紙」の歌碑。手紙を読む女性が艶っぽい 6.カフェの2階からは彫刻家・梁川剛一（38頁参照）の作品もよく見える！ 7.カフェ「港や」の店名は、竹久夢二が日本橋に開店した小間物店「港屋絵草紙店」から名付けられたそう

弥生美術館・竹久夢二美術館

設立＝1984年（弥生）、1990年（竹久夢二）
開＝10:00〜17:00（最終入館16:30）／休＝月曜日（祝日の場合は開館、翌平日休館）、年末年始、展示替え期間
入館料＝一般900円（800円）、大学・高校生800円（700円）、中・小学生400円（300円）
*2つの美術館は同じ建物で見学でき、上記料金は2館併せたもの

アクセス

弥生美術館：東京都文京区弥生2−4−3、竹久夢二美術館：東京都文京区弥生2−4−2／JR「上野駅」公園口から徒歩25分、東京メトロ千代田線「根津駅」1出口から徒歩7分、東京メトロ南北線「東大前駅」公園口から徒歩7分

とに〜のここも見て!!

カフェ港やで月に1回、開催されている予約困難な超人気企画「ロマン写真館」。プロのスタイリストが、その人に合ったレトロな着物や小物をスタイリングし、プロのカメラマンが「美人画」のように撮影してくれるのだそう。レトロ好きなら一度は体験を！ 詳しくはroman3.netをご覧ください。

Chapter 2 日本橋・丸の内

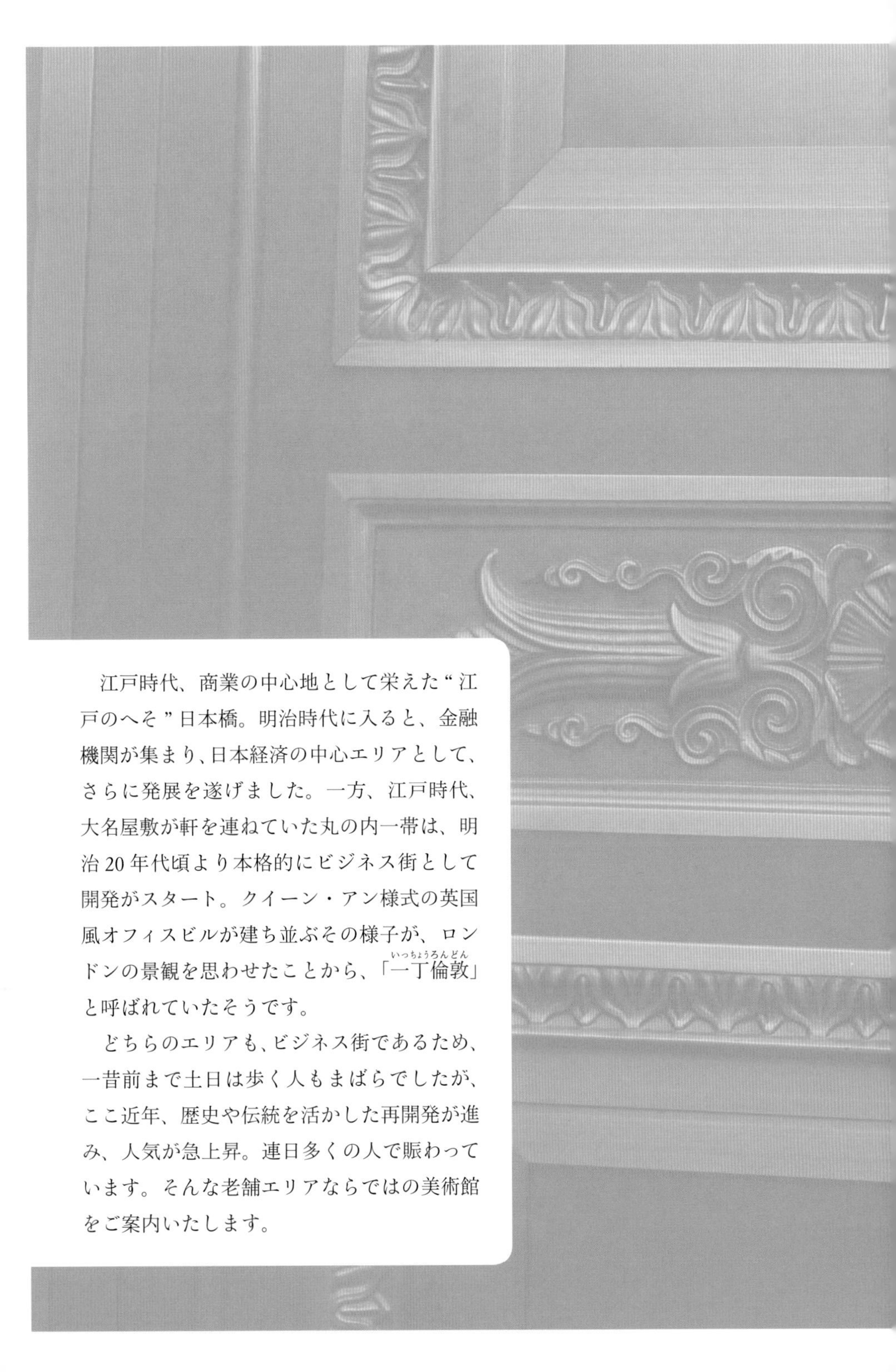

江戸時代、商業の中心地として栄えた“江戸のへそ”日本橋。明治時代に入ると、金融機関が集まり、日本経済の中心エリアとして、さらに発展を遂げました。一方、江戸時代、大名屋敷が軒を連ねていた丸の内一帯は、明治20年代頃より本格的にビジネス街として開発がスタート。クイーン・アン様式の英国風オフィスビルが建ち並ぶその様子が、ロンドンの景観を思わせたことから、「一丁倫敦（いっちょうろんどん）」と呼ばれていたそうです。

どちらのエリアも、ビジネス街であるため、一昔前まで土日は歩く人もまばらでしたが、ここ近年、歴史や伝統を活かした再開発が進み、人気が急上昇。連日多くの人で賑わっています。そんな老舗エリアならではの美術館をご案内いたします。

美術に目覚める始発駅

東京ステーションギャラリー

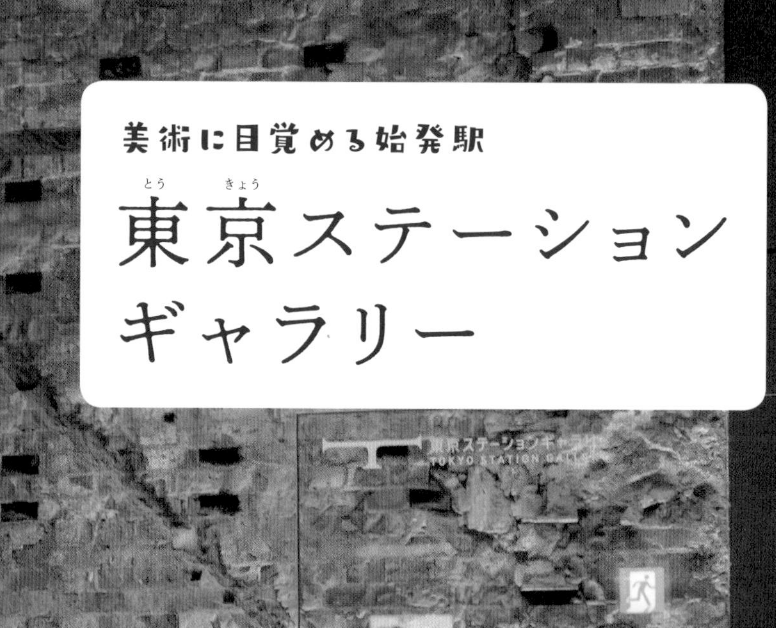

東京ステーションギャラリーのエントランス兼エレベーターホール。とに～の後ろに広がるのが創建当時からの構造煉瓦壁。
本来は、この上に漆喰を塗って壁として仕上げていたが、復原工事の際には東京駅の歴史を見せるためにあえて仕上げを施さなかった

歴史を感じる赤煉瓦壁の展示室

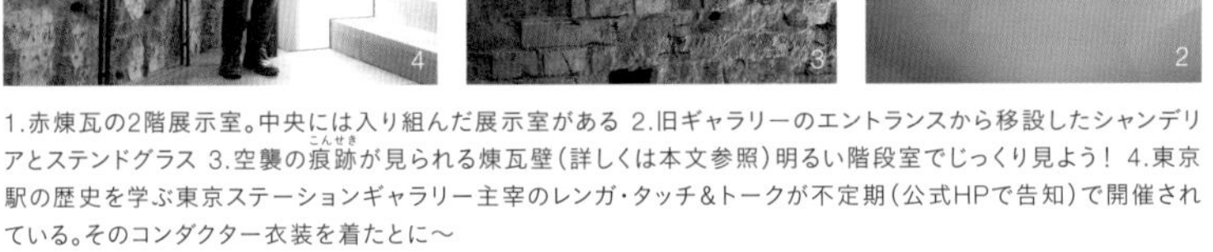
1.赤煉瓦の2階展示室。中央には入り組んだ展示室がある 2.旧ギャラリーのエントランスから移設したシャンデリアとステンドグラス 3.空襲の痕跡が見られる煉瓦壁（詳しくは本文参照）明るい階段室でじっくり見よう！ 4.東京駅の歴史を学ぶ東京ステーションギャラリー主宰のレンガ・タッチ&トークが不定期（公式HPで告知）で開催されている。そのコンダクター衣装を着たとに〜

「駅を単なる通過点ではなく、香り高い文化の場として皆さまに提供したい」。そんな願いを込めて、1988年に東京駅丸の内駅舎内に誕生した東京ステーションギャラリー。場所は、丸の内北口改札を出てすぐ右側。徒歩0分という抜群のアクセスを誇る美術館です。

ただし、駅舎内にあるせいで、東京駅の外観からは美術館の姿は見えません。そのため、丸の内北口改札の利用者以外には、存在すら気づかれてないことも。まさに〝近すぎて見えない〟美術館といえましょう。

東京ステーションギャラリーの一番の特徴は何と言っても、赤煉瓦壁。建物のいたる所で目にできる赤煉瓦壁は、なんと東京駅舎が開業した1914年当時のものです。開館準備の工事が始まった際、たまたま漆喰の下からこの赤煉瓦の壁が出てきたそ

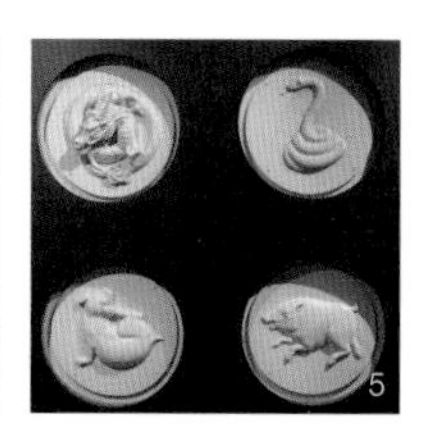

5.丸の内北口ドームに配置されていた干支のレリーフ。東京駅復原時につくられた石膏原型も展示されている 6.吹き抜けに設けられた廊下からは、ドームを間近に見られる。ちなみにドームの上方に見えるのは東京ステーションホテル 7.ミュージアムショップへようこそ 8.柱に寄り掛かった、とに～の右奥にある自動扉が美術館の入口

東京ステーションギャラリー

設計＝辰野金吾（東京駅）／1889年（リノベーションはJR東日本建築設計／2012年）
開＝10:00～18:00（最終入館17:30）、金曜日は10:00～20:00（最終入館17:30）／休＝月曜日（祝日の場合は開館、翌平日休館）、年末年始、展示替え期間
入館料＝展覧会ごとに異なる

アクセス

東京都千代田区丸の内1-9-1／JR東京駅丸の内北口改札前、東京メトロ丸の内線「東京駅」M12出口から徒歩3分、東西線「大手町駅」から徒歩5分（B4、B5出口を経由しM12出口へ）、千代田線「二重橋前駅」から徒歩7分（7出口を経由し、M12出口へ）

とに～のここも見て!!

ミュージアムショップTRAINIARTの奥の壁面にあるのは、創建時の鉄骨階段をそのまま残したもの。館内を注意深く見まわしてみると、こうした遺構の数々に出逢うことも。レトロ好きとしては、“あがります”。

う。その偶然を活かしたことで、他にはない赤煉瓦壁の個性的な展示室が誕生したのです。ちなみに、壁のところどころに見られる黒い木は、空襲で木が焼けて炭化してしまったもの。そんな100年以上の歴史の痕跡が感じられる赤煉瓦壁だけに、壁ばかり見てしまいそうなものです。

しかし、そうはならないのが、東京ステーションギャラリーの底力。壁以上に個性的な展覧会を、年4～6本のペースで開催しています。近代美術の展覧会もあれば、現代アートや建築、デザインをテーマにした展覧会も。駅や電車内で見かけた展覧会ポスターに惹かれて、東京ステーションギャラリーへ。それがきっかけとなって、美術に興味を持つようになったという人も少なくありません。まさに、美術に目覚める始発駅となる美術館です。

空間すべてが芸術作品！

三井記念美術館

モールディング（壁と天井の間にある装飾）の施された展示室。明るさを抑えた照明も相まってなんだか少し緊張する空間

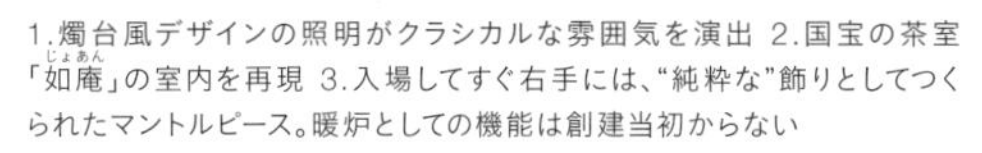

1.燭台風デザインの照明がクラシカルな雰囲気を演出 2.国宝の茶室「如庵（じょあん）」の室内を再現 3.入場してすぐ右手には、"純粋な"飾りとしてつくられたマントルピース。暖炉としての機能は創建当初からない

三井グループの前身であるあの越後屋（えちごや）発祥の地に、三井財閥の本拠地として1929年に建設された三井本館。大規模オフィスビルとして初めて重要文化財に指定された日本橋の顔ともいうべき建物です。その最上階に2005年に開設されたのが、三井記念美術館。三井家が約350年にわたって収集してきた約4千点の美術品を収蔵する美術館です。

そんな三井記念美術館を訪れた際に、「お主も通（つう）よのう」と一目を置かれるかもしれない〝とに～流お作法〟を伝授いたしましょう。まずは「エレベーターを味わうべし」。1階と7階を結ぶレトロなエレベーターは、なんと三井本館が竣工した当時から設置されているもの。階数表示がアナログな針式なのも、またレトロです。

続いては「展示室内の意匠も愛でるべし」。ひときわ重厚感が漂う最初の

展示室はかつての役員の大食堂

1.展示室はかつての役員専用の大食堂。一昔前だったら到底入ることはできなかっただろう 2.厨房の出入口の扉は当時のまま。今にも誰か出てきそう

展示室は、かつて役員の大食堂だった場所。カーテンや照明、厨房と行き来するための扉はその名残です。美術品と併せて室内の隅々まで鑑賞いたしましょう。

最後のお作法は「如庵に招かれた気持ちになるべし」。館内には、三井家にゆかりのある国宝の茶室・如庵の室内が完全再現されています。如庵の床が中途半端な高さにあるのは、茶室で正座した際の目線に合わせているため。足が痺れることなく、如庵の室内をじっくり堪能することが可能です。

おまけのお作法は「ポスター通りをチェックすべし」。展示室を抜けた先の廊下の両側には、他館の展覧会ポスターが80枚ほど貼られています。通称、ポスター通り。ここで次に訪れたい展覧会をチェックする美術ファンは意外と多いそう。さすが日本橋。美術館巡りの起点でもあるようです。

3.玄関で迎えてくれるのは、池田勇八《嶺》。三井家をはじめ商家では、昔から鹿は富をもたらす象徴とされていた 4.1929年から動き続けるエレベーターにご注目!こちらも国宝級の趣 5.おそらくどこの美術館よりもポスターの掲示枚数が多いポスター通り。ここに貼られているポスターは、運営部のある職員さんが一人で管理している 6.美術館があるのは日本橋三井タワーに隣接する昭和初期の建物 7.矢印型の針で階数を示すタイプのエレベーター表示。このアナログ感がたまらん

三井記念美術館

設計＝トローブリッジ・アンド・リヴィングストン社／1929年

開＝10:00～17:00(最終入館16:30)／休＝月曜日 ※夜間開館(ナイトミュージアム)を行う展示会も有

入館料＝一般1,000円(800円)、大学・高校生500円(400円)、中学生以下は無料

アクセス

東京都中央区日本橋室町2-1-1三井本館7階／東京メトロ銀座線・半蔵門線「三越前駅」A4出口から徒歩1分、銀座線・東西線「日本橋駅」A7出口から徒歩4分、都営地下鉄浅草線「日本橋駅」B9出口から徒歩6分／メトロリンク日本橋(無料巡回バス)「三井記念美術館」から徒歩1分

とに～のここも見て!!

一見すると、宇宙船や潜水艦のコクピットへの入り口のようにも見えますが、こちらは、かつて書庫として使用されていたという重厚な金庫。なお、現在は使用されていません。くれぐれも中に入りませんように。

半世紀以上の歴史をもつ私立美術館

出光美術館（いでみつびじゅつかん）

とに〜イチオシの見晴らしのよいロビー。水平に連続した窓から皇居のお濠を眺められる。
天井高を低く抑えた空間はビルのワンフロアとは思えないほど落ち着く

こだわり抜かれた照明や茶室

1.茶室「朝夕菴」。季節に合わせて替えられる掛け軸や茶道具にも注目 2.床の高さに差を持たせた展示室。変化のある空間 3.設計は66頁工芸館と同じ谷口吉郎。六角形のデザインの照明は工芸館と似ているかも

帝国劇場の入る帝劇ビルの最上階に位置する出光美術館。出光興産の創業者で、『海賊と呼ばれた男』のモデルとしても知られる出光佐三が70数年という長きにわたって収集した美術コレクションを基にした美術館です。開館は、1966年。半世紀をゆうに超える歴史を持つ東京を代表する私立美術館の一つです。都心のビルの1フロアであることを感じさせない静かで穏やかな空間の設計を手掛けたのは谷口吉郎。日本各地に数多くの美術館の名建築を生み出した昭和を代表する建築家です。

　2007年に全面的に改装され、スタイリッシュかつモダンな空間に生まれ変わりましたが、谷口が手掛けた茶室・朝夕菴や照明器具などの調度品は今なお健在。新しさとレトロさが見事に調和しています。

美術館のメインとなるのはもちろ

陶片室。日本やアジア各地の遺跡や窯跡から出土した貴重な陶片を展示している

出光美術館（いでみつびじゅつかん）

基本設計＝谷口吉郎／1966年
開＝10：00〜17：00（最終入館16：30）、金曜日は10：00〜19：00（最終入館18：30）／休＝月曜日（祝日の場合は開館）、年末年始、展示替え期間
入館料＝一般1,000円（800円）、大学・高校生700円（500円）、中学生以下は無料（要保護者同伴）

アクセス

東京都千代田区丸の内3-1-1帝劇ビル9階／JR「有楽町駅」国際フォーラム口から徒歩5分、都営地下鉄三田線「日比谷駅」および東京メトロ有楽町線「有楽町駅」B3出口から徒歩3分、東京メトロ日比谷線・千代田線「日比谷駅」有楽町線方面地下連絡通路経由B3出口から徒歩3分

とに〜のここも見て!!

地上と9階にある出光美術館を結ぶ直通エレベーター。エレベーターを待つ間、是非鑑賞していただきたいのが、その扉です。こちらもまた一つの美術品。扇形の螺鈿（らでん）が配された漆仕上げの扉。上品なセンスが漂います。

ん、黒を基調としたシックな印象の展示室。こちらでは、主に東洋古美術を中心にした展覧会が開催されています。また出光美術館には、「日本の美術ファンがいつでもルオーの代表作と接する機会をもてるように」と願った出光佐三の想いを受け継いだルオー室があります。さらに、日本を含むアジア各国および中近東の陶片資料（とうへんしりょう）（5万点以上を収蔵）を集めた全国でも珍しい陶片室があります。さらにさらに、茶室・朝夕菴では季節に合わせた茶道具コレクションが展示されています。展覧会に満足してしまって、これら3室は存在を忘れられがち。全部合わせて出光美術館です。

ちなみに個人的にイチオシなのは、ロビー。セルフサービスの無料のお茶をいただきながら、皇居周辺が一望できる、仙厓（せんがい）の描いた絵のようにゆるい気持ちになれるスポットです。

古くて新しいレトロに出会う

三菱一号館美術館

丸の内のオフィス街の憩いの場である一号館広場。春には建築家ジョサイア・コンドルにちなんで植えられた約40種類のバラが咲き乱れる

40年ぶりに現れた丸の内のシンボル

1.美術館外観。中国の長興にある煉瓦工場で作られた煉瓦を採用 2.カフェにある壁の凹んだ部分の奥には、かつて執務室が続いていた 3.Café1984には銀行として使われていた当時の窓口がある

時は1894年。英国人建築家ジョサイア・コンドルにより、丸の内に日本初の近代的オフィスビルが誕生しました。その名も、三菱一号館。丸の内のシンボルとして長年愛されるも、老朽化のため1968年に解体されてしまいました。しかし、約40年の時を経て、建設当時の図面や写真資料をもとに可能な限り忠実に復元。「新しい私に出会う、三菱一号館美術館」として新しい人生を歩むこととなりました。

サラッと復元といいましたが、いわゆる、なんちゃってレプリカではありません。解体後、保存されていた部材は可能な限り再利用。真鍮(しんちゅう)製の扉の把手(とって)やマントルピースなどのデザイン、当時のガス灯を模した照明器具はガスの量を調整するためのコックにいたるまで徹底的に完コピされています。極めつけは、外観の赤煉瓦。創建当初の質感と色を再現するため、当時に近い

4.19世紀のイギリスで流行したクイーン・アン様式を一部取り入れた建築。白漆喰のアーチの連続が美しい 5.真鍮の引手。同じくコンドルが設計した旧岩崎邸の事例を参考に再現したもの。取付のビスもすべて真鍮製 6.銀行時代の正面玄関。木の天井は深い茶色に塗装されている

明治の空気に包まれる贅沢なひと時

階段の蹴上(踏み面に対して垂直の面)が細かな格子模様の階段。これはデザイン性を高めるだけでなく、外の光をより多く取り入れるための工夫

製法で制作。計230万個に及ぶ煉瓦は、約100名の職人によって当時の方法で積み上げられました。本物以上に本物を感じる復元なのです。

もちろん部屋の配置も当時のまま。そのため小さな展示室が連なる珍しい展示空間となっています。一般的な白い壁の展示室に慣れた方は、違和感を覚えるかもしれません。しかし、明治の雰囲気が漂う建物で鑑賞する同時代の美術作品(19世紀末に制作された美術を中心に収蔵)は格別。新しい鑑賞体験に出会えますよ。

さて、展覧会と併せて楽しみたいのが、銀行営業室だったスペースを忠実に再現したCafé 1894。ランチやカフェタイムは常に満席の人気カフェですが、実は23時まで開業しておりバー利用も可能です。私事ですが、数年前一人バーデビューをしたのが、ここCafé 1894。新しい私に出会いました。

1.中央階段の手摺子。明治時代の部材(伊豆青石)を再利用した部分のみ石の色が他と異なる 2.保存されていた当時の部材を利用したマントルピース。よく見ると幾何学模様の彫刻が施されている 3.中央階段を復元する際は、色むらや筋などがない石を調達するのに苦労したそう 4.一号館広場のガス灯。こちらは現在も電気ではなく、ガスを利用している 5.メゾネット式のオフィスビルの同じ階を、復元の際につくられたガラスの廊下がつなぐ

三菱一号館美術館（みつびしいちごうかんびじゅつかん）

原設計＝ジョサイア・コンドル／2009年(オリジナルは1894年竣工)
開＝10:00～18:00(最終入館17:30)、祝日を除く金曜日、展覧会会期中の最終週平日は10:00～21:00(最終入館20:30)／休＝月曜日(祝日・会期中の最終週の場合は開館)、年末年始、展示替え期間
入館料＝展覧会ごとに異なる

アクセス

東京都千代田区丸の内2-6-2／東京メトロ千代田線「二重橋前駅〈丸の内〉」1出口から徒歩3分・有楽町線「有楽町駅」D3出口から徒歩5分・丸の内線「東京駅」から徒歩6分、都営地下鉄三田線「日比谷駅」B7出口から徒歩3分、JR「東京駅」丸の内南口から徒歩5分、「有楽町駅」国際フォーラム口から徒歩6分

とに～のここも見て!!

意外と気づかないものですが、実は、公道に面した側の窓枠は1階、2階、3階で、それぞれデザインが違います。ちなみに、数ある窓枠の中には、当時の部材を使ったものも。見つけたら、幸運が訪れるかも?!

みんな知ってる！名品がずらり！

東京国立近代美術館

作家自身の体を型に鋳造されたアントニー・ゴームリー≪反映／思索≫（2001年）。
像の眼差しの先にあるのは反映（映り込み）ではなく、
窓ガラスの対面に置かれた同じ形の像。とに～のように寄り添って、内側と外側を見比べてみよう

Antony Gormley REFLECTION, 2001 Cast iron 191 x 68 x 37 cm (2 bodyforms)
The National Museum of Modern Art, Tokyo, Japan Edition of 3 and 2 APs © the artist Photograph by Yuki Aoyama.

1.建物の設計は谷口吉郎。28頁の東京国立博物館東洋館と同じ建築家。20世紀を代表する彫刻家、イサム・ノグチの作品がつくられたのは1969年、高さはなんと10m以上。MOMATO(モマット)のシンボルでもある 2.62頁と上の写真でとに～がいるテラス。柱、梁の迫力を味わおう

1952年、日本初の国立美術館として京橋に誕生した東京国立近代美術館。愛称は、ＭＯＭＡＴ(モマット)。収蔵品の増加に対応し、二度にわたって拡張改修したものの、さらに収蔵品は増加。そこで、1969年に現在の北の丸公園の地に新たな建物を建設、移転してきたのです。なお、収蔵品は現在も増加中。その数は1万3千点を超えています。

それらの中から会期ごとに約200点を厳選し、明治以降の日本の美術の流れを紹介するのが国内最大規模の所蔵作品展『ＭＯＭＡＴコレクション』。企画展示室のある1階を除く、2～4階で常時開催。教科書で一度は目にしたことがある作品を含む名品の数々が楽しめます。

日本画や洋画、彫刻、写真、現代アートといった幅広いジャンルの作品とともに、併せて味わいたいのが谷口吉郎(たにぐちよしろう)

近現代の名作とじっくり向き合う

1.所蔵品ギャラリー4階「ハイライト」コーナー。横山大観、菱田春草、岸田劉生など教科書で見た名画がずらり 2.皇居への眺望が広がる「眺めのよい部屋」。春には華やかな桜が楽しめる 3.3階「日本画」コーナーでは腰かけられる畳が。床の間の掛け軸を見るように腰を下ろしてじっくり日本画を楽しめる

が設計した建築そのもの。皇居や都会のビル群が一望できるガラス張りの休憩スペース、その名もズバリ「眺めのよい部屋」もオススメですが、個人的にオススメなのは3階にあるガランとした吹き抜けスペース「建物を思う部屋」です。部屋の入り口に、展示室がスキップフロアだった開館当時の様子を映した写真が飾られているだけ。訪れる人は、ポツンと置かれたベンチに座り、思い思いに在りし日の建物を思う。どこか禅に通ずる体験ができる部屋です。

ちなみに、館内だけでなく館外のあちこちにも作品は設置されています。遠目からでも目立っているのは、イサム・ノグチの《門》（1969年）。実はこちらの巨大な作品は彼の意向により、定期的に色が塗り替えられているのだとか。それを知った時は、色を失うほど驚きました。

5

4

7

6

4.メインエントランスで話し込むとに～とこの日案内してくれた研究補佐員の岩田さん。「当館のコレクション展では明治から平成まで、1時間でたどる時間旅行ができます」 5.「建物を思う部屋」に佇むとに～。2層吹き抜けのおおらかな空間 6.2階にある意外と知られていないアートライブラリ。入場料不要で利用できる(開室時間は公式HPを要確認) 7.開館当時の内観(約20年前に増改築されている)。当時は各階が半階ずつずれて連なるスキップフロアの構成だった

東京国立近代美術館(とうきょうこくりつきんだいびじゅつかん)

設計＝谷口吉郎／1969年(増改築の設計は坂倉建築研究所)

開＝10:00～17:00(最終入館16:30)、金曜・土曜日は10:00～20:00(最終入館19:30)／休＝月曜日(祝休日は開館、翌平日休館)、年末年始、展示替え期間

観覧料＝一般500円(400円)・17:00以降の入館は300円、大学生250円(200円)・17:00以降の入館は150円、高校生以下は無料

企画展観覧料＝展覧会ごとに異なる

アクセス

東京都千代田区北の丸公園3-1／東京メトロ東西線「竹橋駅」1b出口から徒歩3分、東京メトロ東西線・半蔵門線「九段下駅」から徒歩4分

とに～のここも見て!!

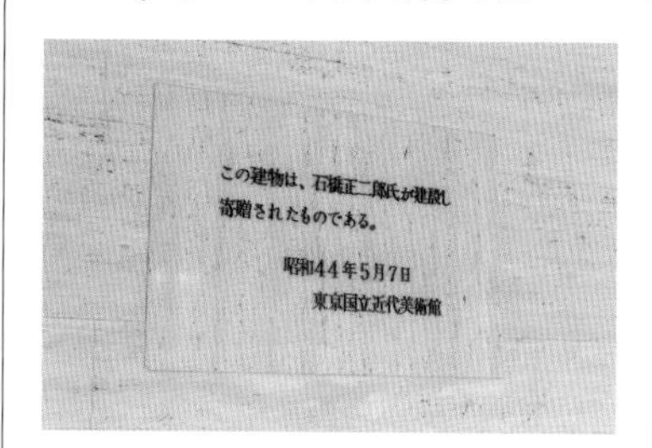

東京“国立”近代美術館ではありますが、今の建物を太っ腹にも個人で寄贈したのは、ブリヂストンの創業者・石橋正二郎(いしばししょうじろう)。アーティゾン美術館(旧・ブリヂストン美術館)コレクションの礎を築いたその人です。

重要文化財かつ映えスポット！

東京国立近代美術館工芸館

重要文化財に指定されている2階の階段ホール。
陸軍技師田村鎮の設計であり、日本人技術者が設計した官庁建築として貴重な存在

小さなインテリアまですべてが美しい

1.さりげなく置かれているのは、日本を代表するインテリアデザイナー剣持勇（けんもちいさむ）のラタンチェアー。もちろんこれにも座ってOK 2.展示室の設計は、谷口吉郎（52頁出光美術館と同じ建築家）。照明のデザインも出光美術館と似ているかも 3.展示室内には展示和室があり、茶道具などはここに展示される

竹橋駅から東京国立近代美術館本館へ。さらにその先へと進むのは、皇居ランナーくらいのものかもしれません。しかし、東京国立近代美術館からさらに5分ほど歩いたその先には、レトロ好きなら一度は観ておきたい赤煉瓦造の建物があります。明治から令和まで5つの時代を生き抜いた風格ある建物です。もともとは、大日本帝国陸軍の近衛師団司令部庁舎（このえしだんしれいぶちょうしゃ）として建設されたもの。建物外壁下部にある通気口にあしらわれた陸軍のシンボル五芒星（ごぼうせい）に、その名残が見て取れます。

戦後しばらくは放置され、一時は廃墟と化したそうですが、1977年には、明治以降の工芸に特化した東京国立近代美術館の分館・工芸館として開館。陶磁やガラス、漆工、木工、竹工、染織、人形、さらにはグラフィックデザインなど、幅広いジャンルの工芸の名品を収蔵展示しています。

4.屋根は1973年から行われた修復工事によって瓦桟葺きからスレート葺きに復原された 5.建物の基礎部分にある通気口は五芒星のデザイン 6.外観は建物正面の両サイドに出っ張りがある、ゴシック様式特有の佇まい 7.中央の玄関回りは、創建当初の1910年のオリジナルのままと言われている

東京国立近代美術館工芸館

設計＝田村鎮／1910年（展示和室・展示室は谷口吉郎／1972年）
開＝10:00〜17:00（最終入館16:30）、／休＝月曜日（祝日の場合は開館）、年末年始、展示替え期間
観覧料＝展覧会ごとに異なる

アクセス
千代田区北の丸公園1-1／東京メトロ東西線「竹橋駅」1b出口から徒歩8分、半蔵門線・東西線・都営地下鉄新宿線「九段下駅」2出口から徒歩12分

とに〜のここも見て!!

過日は、工芸館の入り口付近に設置されていた橋本真之氏の《果樹園―果実の中の木もれ陽、木もれ陽の中の果実》。今は、建物の裏側にお引越しししています。地面から直接生えてきたような、不思議な造形です。そして現在またまた入り口付近にやってきました（2020年1月現在）

工芸の殿堂ともいえる工芸館。休憩用の椅子もまた一流作家が手掛けた一流の工芸作品です。66頁の2階の階段ホールに設置されている椅子は人間国宝・黒田辰秋によるもの。もちろん実際に座って休憩することもできます。

ちなみに、展示室を含む内装の改修を手掛けたのは、東京国立近代美術館本館の設計と同じく谷口吉郎。レトロモダンな洋風の外観とは対照的に、展示和室もしつらえられた展示室は和風な印象となっています。そんなギャップも楽しい工芸館ですが、実はその雰囲気が味わえるのも残りわずか。2020年には金沢市に移転します。旧第九師団司令部庁舎と旧金沢偕行社の建物を活用し、「国立工芸館」（通称）として新たなスタートを切る予定。まだ未訪の方、皇居ランナーに交じって、今すぐ工芸館にダッシュですよ！

Chapter 3 目黒・品川

目黒駅から品川駅にかけては、都内でも屈指の由緒ある高級住宅エリア。その地域内には、徳川将軍が鷹狩の際に休憩をした品川御殿があった御殿山、江戸時代に薩摩藩島津家の本邸が存在していた島津山をはじめとする「城南五山」や、シロガネーゼたちが住むハイソな街・白金台などが存在しています。

それだけに、他のエリアと違って、大名屋敷だった敷地に建てられた美術館や、かつて皇族や実業家の邸宅だった建物をコンバージョンした美術館が少なくありません。それらの美術館では、アートはもちろん、セレブな空気も味わえることでしょう。普段よりもちょっとだけオシャレしてお出かけされることをオススメします。

魅惑の現代陶芸の美術館

菊池寛実記念 智美術館

ガラスの手摺も展示作品。作品とはいえ、
触れたらNGということはないので安心を。
とに～の右手で煌めいているのは篠田桃紅のコラージュ。

光を透過する薄い布で緩く仕切られた展示室。広い空間ながらも1つ1つの作品に集中して鑑賞することができる

高層ビルが森のように林立する虎ノ門にある隠れ家的美術館。菊池寛実記念 智美術館。エネルギー産業に従事した実業家・菊池寛実（『父帰る』でお馴染みの小説家・菊池寛ではなく）の娘で、伝説の女性コレクターであった菊池智さんの現代陶芸コレクションをもとにした日本では珍しい現代陶芸専門の美術館です。

2003年に竣工した現代的なビルの中に入るとまず目に飛び込んでくるのは、美術家・篠田桃紅氏による大作《ある女主人の肖像》。画面中央の〝女〟という文字は、凛とした女性の姿を思わせます。

女主人のお出迎えを受けたなら、ガラス作家・横山尚人氏によって制作されたガラスの手摺が幻想的な螺旋階段を降りて地下の展示室へ。すると、都心にいることを、いや、そもそも陶芸の美術館にいることを忘れてしまう非

非日常の空間でゆったり鑑賞

1.階段ホール。智美術館では、ナイトミュージアムコンサートが催されることも。個性的な展示室は音楽とも親和性が高い　2.外に目をやっても都心とは思えないほどにあふれる緑。非日常のアート空間は、どこまでもつづく　3.作品が浮かび上がる展示室

日常的な空間が現れます。まるで演劇の舞台のよう。まさに劇的な展示空間。スポットライトを浴びた陶芸作品は、普通のガラスケースで展示されている時よりも3割増しで輝いています。ちなみに、この斬新な展示室のデザイナーは、スミソニアン自然史博物館の展示デザインも手掛けた、リチャード・モリナロリ氏。日本で彼が手掛けた展示室が見られるのは、智美術館だけ。必見です！

　ところで、肝心のレトロは？　失礼いたしました。実は美術館の敷地内には、大正時代に建てられた貴重な建物が残っています。西洋館と呼ばれるこの洋館。内部は通常非公開ですが、年に数回ほど限定公開されています。工芸の贅を尽くしたという室内装飾は、当時のまま。特に孔雀のステンドグラスの美しさはため息もの。こちらも必見です。

隣接する西洋館

4.美術館外観。外観は小さく、中は大きく。隠れ家感があるのもいい 5.西洋館。イギリスの住宅様式であるチューダー様式の住宅。1979年の火災で屋根と2階部分を焼失したが、菊池智氏の消防当局への働きかけで全壊を免れた。現在も素敵な姿を見られるのは智氏のおかげ

菊池寛実記念 智美術館（きくちかんじつきねん ともびじゅつかん）

設計＝坂倉建築研究所東京事務所／2003年（西洋館は1926年）
開＝11:00〜18:00（最終入館17:30）／休＝月曜日（祝日の場合は開館、翌平日休館）、年末年始、展示替え期間
観覧料＝一般1,000円（展覧会ごとに異なる）

アクセス
東京都港区虎ノ門4-1-35西久保ビル／東京メトロ日比谷線「神谷駅」4b出口から徒歩6分、南北線「六本木一丁目駅」改札口から徒歩8分、南北線・銀座線「溜池山王駅」13出口から徒歩8分、銀座線「虎ノ門駅」3出口から徒歩10分

とに〜のここも見て!!

無いのに「ここも見て」というのもおかしな話ですが、智美術館には基本的にガラスケースがありません。これは、鑑賞者に展示品の肌合いをダイレクトに愛で、感じて欲しいという想いから。愛ゆえのむきだし。

現代アートの専門美術館
原美術館

設計は渡辺仁（24頁東京国立博物館本館と同じ建築家）が手掛けた。青みがかったモザイクタイルの外壁が特徴的

邸宅時代に思いを馳せる

1.かつては「ブレックファーストルーム」として使われていた展示室 2.緑豊かな庭に面したカフェダールでは、展覧会鑑賞の前後にゆっくりとしたひと時を過ごす事ができる 3.円弧を描くような建物に囲まれた中庭。屋外にも常設作品があるので散策してみて！

江戸時代より桜の名所として親しまれた御殿山。その一角に、レトロで美しい白亜の建物があります。実業家・原邦造の邸宅として１９３８年に建てられた建物です。終戦後ＧＨＱに接収されたり、その返還後10年以上は誰も住まず廃墟同然だったり。暗い時代もありましたが、原邦造の孫に当たる原俊夫氏によって、１９７９年からは現代アート専門の原美術館として新たな人生を歩むこととなりました。

今でこそ都内でも屈指のオシャレな美術館として、幅広い層に人気の原美術館。しかし、開館した当時は、日本では現代アート専門の美術館が珍しかったこともあり、美術界でもかなり異色の存在だったとか。「そんなわけのわからない美術館に、お客さんは来ないよ」と周りから忠告されたこともあったそう。まさに、現代アート専門美術館のパイオニア的存在なのです。

ジャン＝ピエール・レイノーの作品につづく階段。とに〜の横にあるガラスブロックの窓から光が注ぐ。光と曲線がまるで彫刻のよう

クラシカルモダンと現代アートの調和

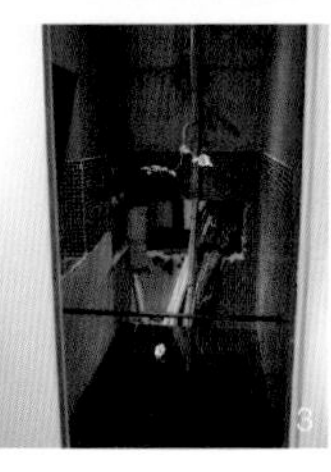

1.2004年に開催された奈良美智氏の個展と同時に作られたアトリエをイメージした作品。奈良美智「My Drawing Room」2004年8月〜 2.かつての暗室。年代を感じるモザイクタイル 3.この暗室には、須田悦弘氏の作品「此レハ飲水ニ非ズ」2001年が。館内で探してみて 4.上の写真は、実はこの小窓を覗いたところ

そんな原美術館は、僕のお気に入りの美術館の一つ。建築と一体化した現代作家による常設作品も、温もりと建物の歴史が感じられる木の床も、中庭に面したガラス張りのカフェダールもすべてに思い入れがあります。取材当日は、階段手摺の先端の丸みや瓦を葺いた和風の土塀など、マニアックなお気に入りポイントも熱く語り、カメラマンの青山さんに隅々まで撮影してもらいました。

さて、その一週間後、衝撃的なニュースが報じられました。「原美術館が2020年末に閉館」。建物の老朽化がその大きな理由とのこと。建物はどうなるか未定ですが、美術館自体は2021年からは群馬県にて原美術館ARCとして活動を続けていくそうです。とりあえず一安心。

教訓：いつまでもあると思うな親とレトロな美術館

5.展示室につづく曲線廊下。行きつく先が見えないのが想像をかきたてる 6.カフェダールの壁面。曲線、ガラスブロックの窓は繰り返し現れるモチーフ 7.建物を囲むのは寺院などでよくみられる塀瓦を載せた土塀。入口は実は和洋折衷だった 8.階段の手摺の先っぽまで、もちろん曲線 9.窓のクレセントも当時のまま。なんかわいい 10.扉の開閉つまみにも歴史を感じる

原美術館（はらびじゅつかん）

設計＝渡辺仁／1938年
開＝11:00～17:00（最終入館16:30）、祝日を除く水曜日は11:00～20:00（最終入館19:30）／休＝月曜日（祝日の場合は開館、翌平日休館）、整備休館日、展示替え等のために臨時休館する場合も有
入館料＝大人1,100円、大学・高校生700円、小・中学生500円

アクセス
東京都品川区北品川4-7-25／JR「品川駅」高輪口から徒歩15分、京急電鉄「北品川駅」から徒歩8分／都営バス「反96」系統「御殿山」停留所下車徒歩3分

とに～のここも見て!!

原美術館の常設作品の一つ、鈴木康広（すずきやすひろ）さんの《募金箱『泉』》。壁に空いたスリットにコインを入れ、そこを覗くと……あら不思議！それが観たいがために、これまで何円募金したことでしょうか。

豊かな庭園に佇むアール・デコの邸宅

東京都庭園美術館

アール・デコとは
1910年代から30年代に
フランスで流行した
様式のことです

来客時の会食などに使われていた大食堂。とに〜の足元にあるラジエーター（暖房機）のカバーには魚や貝のモチーフ（87頁写真5参照）。
照明にはパイナップルやザクロなどの果物の装飾が施されている

息をのむほど美しい調度の数々

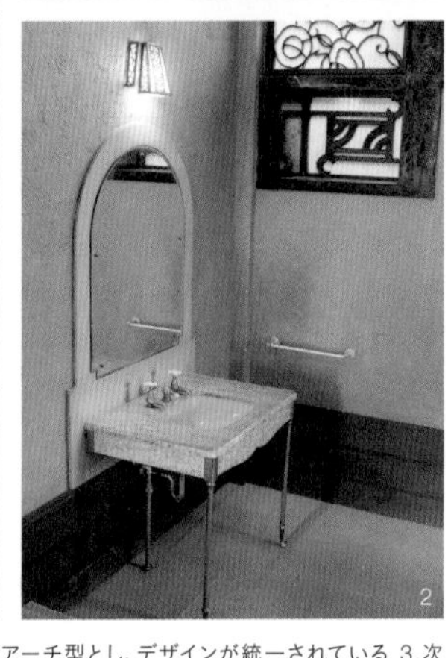

1.アーチ型の連続が美しい廊下 2.階段ホールには手洗い台。鏡はアーチ型とし、デザインが統一されている 3.次室には白磁の「香水塔」。朝香宮邸時代には、上部の照明部分に香水を施し、照明の熱で香りを漂わせたそう

1983年に都立美術館の一つとして一般公開がスタートした東京都庭園美術館。しかし、本館に当たる建物の歴史はもっと古く、完成したのは昭和8年にまでさかのぼります。この建物はもともと、旧皇族であった朝香宮(あさかのみや)夫妻の邸宅として建設されたもの。フランス滞在中、1925年に開催されたパリ万国博覧会で当時流行していたアール・デコに魅了され、フランス人装飾芸術家のアンリ・ラパンに主要な部屋の設計を依頼したのです。また、主に2階部分、朝香宮家のプライベートスペースは、宮内省内匠寮(くないしょうたくみりょう)の技師たちが設計。日本古来の高度な職人技が随所に発揮されています。フランスと日本、2つの国のデザイナー、技師、職人が総力を挙げて作り上げた建物そのものが美術品と言っても過言ではありません。そんな建物を舞台に絵画や工芸、現代アートの展覧会が開催され

黒と白の大理石が市松模様に敷かれたベランダ。かつては朝香宮夫婦の専用だった。とに〜と談笑する学芸員の浜崎さん「2階のベランダからは、芝庭が一望できます。私の好きな場所の一つです」

入り口の装飾も見逃せない

玄関ホールは
見どころがたくさん。
素通りしないで！

1.正面入り口。意外に知られていないけど、玄関は狛犬が守っている 2.玄関ホールの翼を広げた女神のレリーフはルネ・ラリックの作品。赤褐色の優しい光に包まれる 3.床全面のモザイクは細かい天然石

ていますが、展示作品だけでなく、ガラス扉やレリーフ壁、床のタイルや照明、ラジエーターカバーなど内装のすべてが見所といえましょう。

さらに、館内にはコンクリートに黒漆を塗って仕上げた柱や、水洗い可能なドイツ製の壁紙など、当時の最先端の技術もふんだんに使われています。今ではすっかりレトロで趣のある建築という印象がありますが、竣工当時はハイテクな建築だったのです。

さてさて、年に1度建物公開展が開催されるほど、美術館のアイコンとなっている本館ですが、意外にも美術館として開館した当初は、建物の魅力に気づいていなかったそう。館の名が東京都宮廷美術館でもなく東京都アール・デコ美術館でもなく、東京都〝庭園〟美術館である理由は、そのあたりにあるようです（もちろん庭園も素敵です！）。

4.とに～が指さすのは、複数の三角形で構成されたガラスの照明。色とりどりでかわいらしい 5.大食堂のラジエーターカバー。波に見立てた模様の上に魚や貝が漂う 6.大客室のエッチングガラス。幾何学的な花模様がデザインされている 7.エレベーター増設時に取り除かれたタイルとテラコッタの実物展示 8.階段手摺壁にも装飾が 9.実は日本庭園に茶室もある 10.庭園美術館の建物の秘密を学べるウェルカムルーム 11.かつてのクロークは現在のロッカールームとなっている

とに～のここも見て!!

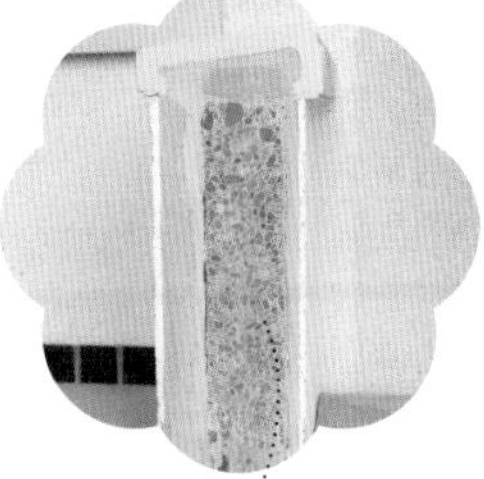

2017年にバリアフリー機能強化の一環として、本館と新館を結ぶエレベーターが増設されました。その通路として、本館2階のバルコニーの一部分が切断。貴重な断面が見えるようになりました。

東京都庭園美術館（とうきょうとていえんびじゅつかん）

設計＝宮内省匠寮工務課／1933年
開＝10:00～18:00（最終入館17:30）／休＝毎月第2・第4水曜日（祝日の場合は開館、翌平日休館）、年末年始、整備休館日、展示替えのため臨時休館する場合も有
入館料＝展覧会ごとに異なる
庭園入場料＝大人200円（600円）、大学生（専修・各種専門学校含む）160円（120円）、中学・高校生・65歳以上100円（80円）

アクセス
東京都港区白金台5－21－9／JR山手線「目黒駅」東口・東急電鉄目黒線「目黒駅」正面口から徒歩7分、都営地下鉄三田線・東京メトロ南北線「白金台駅」1出口から徒歩6分

完全セルフプロデュース！

大田区立龍子記念館

回廊の展示室は、その先の作品が見えない。次にどんな作品が現れるのかわからない、ドキドキ感が楽しい！

そこかしこに龍子の工夫を感じる

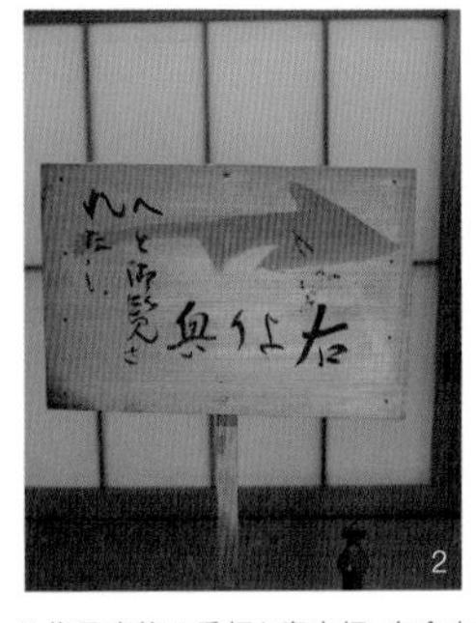

1.お堂のような方形屋根（ほうぎょうやね）のメインエントランス 2・3.龍子直筆の看板と案内板。存命中に自身の美術館をつくるのは、今ではよくあること。しかし開館当時は、先駆的な龍子に陰口を言う人もいたそう

大正から昭和にかけて活躍し、『近代日本画家の異端者』と称された川端（かわばた）龍子（りゅうし）。彼はそれまで主流だった個人的な空間で楽しむ〝床の間芸術〟にNOを突き付け、近代的な空間で大画面の作品を多くの観客に訴えかける〝会場（かいじょう）芸術（げいじゅつ）〟を主張しました。「絵は、床の間で飾るものじゃない！（展覧会の）現場で飾るんだ！」と言ったとか言わなかったとか。そんな龍子が自身の代表作を展示するために、1963年に自ら設計し設立したのが龍子記念館。当時、日本では珍しかった個人美術館です。龍子のダイナミックでド迫力な〝会場芸術〟作品の世界を存分に味わうことができます。

ところで、龍子記念館を初めて訪れた人は、その建物の形状に、少し違和感を覚えることでしょう。どことなく館内がクネクネしているのです。もちろん、龍子の設計ミスではありません。

アトリエに向かう
アプローチも
趣きがあります

4.龍子公園の入り口。幾何学模様が施された引き戸の奥に、鮮やかな緑がのぞく 5.龍子のアトリエ。網代でできた軒裏や腰壁が軽快な印象を作り出している

緊張感漂う画家の創作現場

1.アトリエに隣接した応接スペース。壁いっぱいの窓から庭見える庭の緑が涼しげだ 2.龍子が実際に使用していた岩絵の具。大きな絵画には何キロもの絵具を使うこともあった 3.丁寧に使いこまれた絵筆などもそのまま展示されている

googleマップなどで、空から龍子記念館を見てみましょう。すると、何かの形をしていることに気づくはず。正解は、タツノオトシゴ。龍子という自分の名にちなんで、そのような間取りに設計されたのだそうです。

ちなみに、龍子の龍好きは、自身が設計した自宅やアトリエ、庭園にもいかんなく発揮されています。建物の壁や入口の扉、屋根裏や畳、さらには石畳の模様など、ありとあらゆるところに龍の鱗のモチーフが見て取れます。なお、龍子の旧宅と画室を保存した龍子公園は、龍子記念館の開館日に限り、1日3回ほど職員さんのガイドで見学することができます。龍子のこだわりが詰まった建築もまた一つの芸術作品。実際に内部にも入って空間を楽しめる究極の〝会場芸術〟作品です。龍子公園を観ないで帰るなんて、画竜点睛を欠きますよ。

4.持仏堂の金の襖には桜や芥子が描かれている 5.犬好きだった龍子。龍子の没後、この邸宅を管理していた家族も犬好きでした 6.展示室では空襲の爆撃を受けた自宅の庭の草木を描いた≪爆弾散華≫が見られる（企画展によっては展示されていないこともある） 7.写真6の爆弾散華のモチーフとなったのがこの庭。龍子の心情に思いを馳せる

大田区立龍子記念館（おおたくりつりゅうしきねんかん）

設計＝川端龍子／1963年

開＝9:00〜16:30（最終入館16:00）／休＝月曜日、展示替え等のため臨時休館する場合も有

入館料＝16歳以上の大人200円（160円）、6歳以上の小人100円（80円）、65歳以上、6歳未満は無料

アクセス

東京都大田区中央4-2-1／都営地下鉄浅草線「西馬込駅」南口から徒歩15分／JR大森駅西口から東急バス4番「荏原町駅入口」行き乗車「臼田坂下」下車徒歩2分

とに〜のここも見て!!

龍子記念館の屋根の上に聳え立っている不思議な形のオブジェ。そのモチーフとなっているのは、テキーラの原料にもなるリュウゼツランです。漢字で書いたら、「龍舌蘭」。やっぱり龍が好き。

Chapter 4

青山・松濤・目白

ファッションやトレンドの最先端を行く街ながらも、大通りから通りを一本入ると高級住宅地が広がる青山。かつて佐賀藩主鍋島家（なべしまけ）がこの地に茶園『松濤園（しょうとうえん）』を開いたことに由来する“日本のビバリーヒルズ”こと松濤。学習院大学や日本女子大学など、多くの教育施設がある文教地区ではあるもの、いわゆる学生街らしい喧噪（けんそう）とは無縁の目白。

古くから文化人や芸能人など数多くの著名人が住んでいたこれらの閑静な高級住宅街にも、一度は訪れておきたいレトロな美術館は存在しています。

僕のような庶民は、美術館でもなければ、まず間違いなく足を踏み入れてないエリア(笑)。街に足を踏み入れた時から、すでに非日常的な時間がスタートしています。

爆発するようなパワーに圧倒

岡本太郎記念館

≪若い太陽≫から顔を出しての記念撮影。太陽は岡本太郎作品によく使われているモチーフ

太郎さんの応接間。左側にあるのは等身大の太郎のマネキン。同じポーズで撮影してみて

1.≪太陽の塔≫の模型を彫刻する太郎と。調子はどう？ 2.庭に猛獣をうろうろさせたくて作られた≪犬の植木鉢≫。猛獣というよりは、おとぼけ感が強いかも 3.写真中央に写る釣鐘は≪梵鐘(ぼんしょう)・歓喜≫。実際叩いて音を鳴らしてみることもできる

南青山の閑静な住宅街の一角に、「なんだ、これは！」と思わず人々が足を止めてしまうべらぼうな建物があります。その正体は、岡本太郎が生前暮らしたアトリエ兼住居。パリ留学時代から親交があった建築家の坂倉準三(さかくらじゅんぞう)によって設計されました。太郎はこの場所に50年近く住んだそう。昭和を象徴する《太陽の塔》もこの建物で構想されたのだとか。太郎の死後、岡本太郎記念館として生まれ変わり、今では、全国から太郎ファンが集まる聖地となっています。

見どころは何と言っても、吹き抜けが気持ちいいアトリエ空間。大量のキャンバスや、特注の筆や刷毛、気分転換に弾いていたというピアノ（あの与謝野晶子の家族から譲られたといわれている）などが、当時のままの姿で残されています。まるで太郎がついさっきまで、ここで作業をしていたか

太郎の気迫を感じるアトリエ

アトリエには油絵作品の展示が。こちらの作品も企画展に合わせて展示替えされる

のよう。ちょっとどこかへ出かけているだけなのかもしれませんね。なんて思っていたら、すぐ隣の応接室に太郎さんがいるではないですか！　えっ、何で？　いや、よく見たら、精巧に作られた等身大のリアルマネキンでした。ちなみに、このマネキン太郎は、1年間に数回衣替えするのだそう。そう言えば、冬に訪れた際には、セーターを着ていましたっけ。

記念館内で太郎の空気にめいっぱい触れた後は、太郎ワールド全開のお庭へ。日本各地にある太郎の作品の原型や立体オブジェが、所せまし並ぶ南青山屈指のパワースポットです（気のせいか、周囲と比べて、庭の植物の発育が良すぎるような）。爆発するようなパワーに当てられて、少し疲れたら、庭に置かれた椅子で一休みすることも可能です。《坐ることを拒否する椅子》という名ですが。

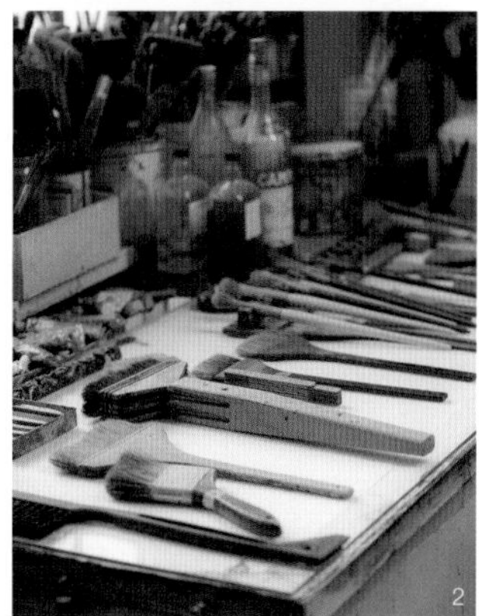

1.STEINBERG BERLIN(スタインベルク ベルリン1924製)の幻のピアノ。国内には数台しかない 2.絵筆や刷毛などが整然と並べられている 3.大きな作品を制作できるよう吹き抜けとしてクレーンを設けている

岡本太郎記念館

設計＝坂倉準三／1954年
開＝10:00〜18:00(最終入館17:30)／休＝火曜日(祝日の場合は開館)、年末年始、保守点検日
入館料＝大人650円(550円)、小学生300円(200円)

アクセス

東京都港区南青山6-1-19／東京メトロ銀座線・千代田線・半蔵門線「表参道駅」A5出口から徒歩8分／都営バス渋88系統新橋駅前行き・渋谷駅前行き「南青山六丁目」下車徒歩2分

とに〜のここも見て!!

岡本太郎記念館の塀に描かれた「殺」の文字。これは、アーティスト集団Chim↑Pomの展覧会が開催された際に制作された作品。元ネタは、岡本太郎がベトナム戦争に反対して「ワシントンポスト」紙に出した『殺すな』という広告キャッチ。見落とすな。

洞窟？ それとも遺跡のメタファー？

渋谷区立松濤美術館

エレベーターホールから建物中央の吹き抜けを見た様子。
ここが美術館？と思ってしまうが、左端にある順路の先に展示室があるのでご安心を

どこを見ても曲線ばかり……

1.順路の札も渋谷区立松濤美術館のオリジナル。楕円形のプレートや足元の曲線がなんともセクシー 2.館内には大きさや形もさまざまな鏡がたくさん 3.エレベーターの出入り口付近の壁は、内側にかけて斜めに加工されている。人を迎え入れる建築家の優しさを感じる

熱狂的なファンも多い孤高の建築家・白井晟一。その彼の都内では数少ない現存作の一つが、渋谷区立松濤美術館です。「ゴゴゴゴ」という擬音が聞こえてきそうな独特のオーラを放つ外観。その外壁全体に使われているのは、白井が着目し、自ら〝紅雲石〟と名付けたという韓国ソウル産のピンク色の花崗岩です。

渋谷区松濤という閑静な高級住宅街に建てられたため、地上高は約14mに抑えられていますが、中に入ってみてビックリ、実はなんと地下2階まであります。また、建物の中央部には、地下2階から屋上まで、つまり4階建て分の巨大な吹き抜け空間が存在しているのです。しかも、その下には池と噴水が設置されています。建物の外観からはまったく想像がつきません！「人は見た目が9割」とは言いますが、渋谷区立松濤美術館の建物としての魅力

噴水のある吹き抜けから、空を見上げた様子。そそり立つ柱は荘厳な雰囲気を醸し出している。学芸員さん曰く、微妙な角度で取り合うガラス窓は、通常のビルなどの窓ふきに比べて高度な技術が必要。窓ふきは、ベテランの職人さんが対応しているらしい

薄暗い階段もなんとなく落ち着く

1.展示室への移動は螺旋階段もオススメ。螺旋階段のカーブ、ブラケット（壁面の照明）などレトロなムードが漂う 2.サロンミューゼ。かつてはカフェがあり、こちらの小窓から飲み物も提供されていたそうだ 3.展示室を仕切る引き戸。こちらも上部はアーチ型

は見た目では1割くらいしか伝わっていないことでしょう。

さてさて、白井といえば、曲線の効果を多用した建築家。渋谷区立松濤美術館も外観や回廊、階段の手摺など、いたるところに曲線が用いられています。極めつけは、展示室の壁面。こちらも例に漏れず、曲面となっています。フラットな面がなく学芸員さん泣かせな展示室ですが、むしろそれをプラスに変えるような個性的な展覧会が多く開催されています。困難は人を強くするようです。

ちなみに、哲学の道から建築家へ転向したという異色の経歴を持つ白井。その建築はどこか内省的（ないせいてき）な印象があります。深い精神性を孕（はら）んでいる内部は、まるで古代の遺跡のよう。もしくは、太古の洞窟のようです。もはや、レトロという範疇を大きく飛び越えてしまっています。

4.階段室の照明。多角形のフレームが、放射線状の影を生む 5.ランダムに配置されたダウンライト。恣意的な配置が複雑な陰影をつくる 6.館内のいたるところで見かけるエンブレム。よく見ると楽器がモチーフになっている。(「美術館で音楽も」といった意味も込められているのだろうか) 7.紡錘形の庇が来館者を優しく迎え入れる外観。ルーバー状の門扉はブロンズ製で重厚感がある 8.エントランスホール。吹き抜けに対して横穴のように通路が設けられている

とに〜のここも見て!!

美術館の入り口付近にある蛇口。現在は使われていませんが、こちらは神社でいう手水舎にあたるものでしょうか。一方で施工時の配管図には、水飲器と記されているそうです。不思議な場所ですね。

渋谷区立松濤美術館

設計＝白井晟一／1981年
開＝10:00〜18:00(最終入館17:30)、金曜日は10:00〜20:00(最終入館19:30)／休＝月曜日(祝日の場合は開館、翌平日休館)、年末年始、展示替え期間
入館料＝展覧会ごとに異なる

アクセス

東京都渋谷区松濤2-14-14／京王電鉄井の頭線「神泉駅」西口から徒歩5分、JR・東急電鉄・東京メトロ「渋谷駅」から徒歩15分

はじめての「美しさ」に出会う

日本民藝館

民藝館の外観。民藝運動の創始者である柳宗悦（やなぎむねよし）が中心となって設計された。
道路に面した石塀と本館建物は、国の重要文化財

ダイナミックな階段はまるで彫刻のよう

1.和風デザインを基調としながらも、写真のベンチなど随所に洋風デザインも取り入れている 2.民藝館の表玄関を入ると現れる大階段。優美に左右に伸びる階段はヨーロッパの劇場や宮殿のよう

今でこそすっかり当たり前に使っている『民藝（みんげい）』という言葉。その発祥の地ともいうべき場所が、駒場にある日本民藝館。〝民藝運動の父〟と呼ばれる柳宗悦（やなぎむねよし）らが、1936年当時まだ新たな概念だった『民藝』の概念を普及すべく設立した美術館です。「名も無き職人が生み出した日常の生活道具にも、美術品に負けない美しさがある」と唱えた柳。彼の審美眼によって国内外から集められた陶磁器や染織、木漆工、絵画などの民藝品が展示公開されています。

それらのコレクションはもちろん、展示ケースや障子の格子、階段の手摺といった館内の細部に至るまで、柳の美意識が行き届いています。建物そのものが究極の民藝品といえましょう（館内では、備え付けのスリッパに履き替えます）。

さて、日本民藝館の館内には、普通

3.民芸館玄関の引き戸。多くの人が触れる引手部分は、色が明るくなっていて神々しい。使いこまれることで美しさが生まれている　4.玄関土間は大谷石。ざらざらとした質感でほっこりする　5.室内に上がる際には、靴を脱いで。靴を脱いで上がる美術館もめずらしい

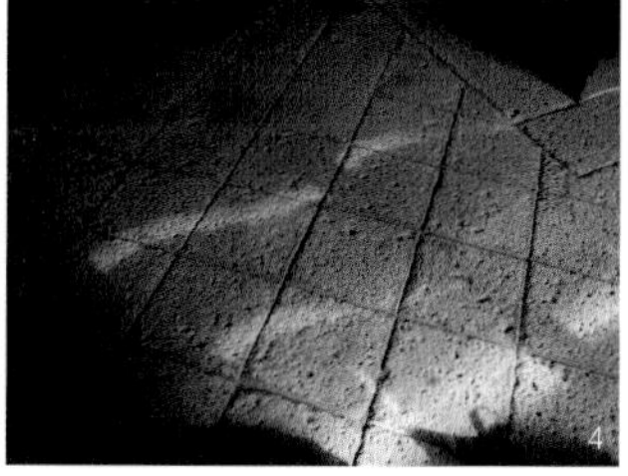

美意識がつまった旧柳宗悦邸

民芸館の向い側には、宗悦が72歳で亡くなるまで生活拠点としていた旧柳宗悦邸。写真は宗悦の書斎

の美術館にあるべきはずのキャプション（作品解説）が存在していません。それは、「余計な説明で先入観をもってほしくない。直観で美しさを感じ取ってほしい」という理由から。最初は慣れないかもしれませんが、ご安心を。しばらくこの空間に身を置いていれば、直観や感性が磨かれていくこと請けい合いです。おかげで、入館時は全く気にならなかった自分の靴下が、妙に気恥しく感じられました。皆さま、訪れる際には、靴下にご注意を。

これは個人的な見解なのですが、ゆったりした空気が流れる日本民藝館の空間は、時間もゆったり流れている気がします。「2、3時間滞在した思ったら、30分しか経ってなかった！」そんな経験を何度したことでしょう。ちなみに、館のすぐ近くにある電信柱に、『宇宙支』という文字が。もしかしたら、本当に宇宙なのか？

1.宗悦邸の廊下、突き当りの窓から見える本館の石屋根。まるで絵のよう。学芸員さんオススメの美しいスポット 2.テーブルセットが置かれる洋間に対して天井高が抑えられた和室。和洋のデザインをうまく融合させている 3.日本民藝館近くの電柱に貼ってあったパネル「宇宙支」。とに〜撮影

とに〜のここも見て!!

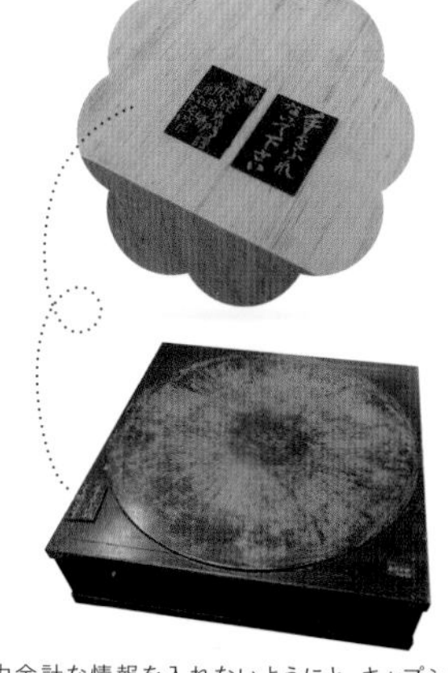

極力余計な情報を入れないようにと、キャプションはシンプル。開館当初から、黒字に朱色というスタイルは変わらず。現在も職員さんによって1枚1枚手書きされています。このキャプションも、また民藝。

日本民藝館（にほんみんげいかん）

設計＝柳宗悦が中心になり設計（旧館）／1936年
開＝10:00〜17:00（最終入館16:30）／休＝月曜日（祝日は開館し、翌日休館）、展示替え期間、年末年始
入館料＝大人1,100円（900円）、高大生600円（500円）、小中生200円（150円）*
＊西館（旧柳宗悦邸）は、展覧会開催中の第2水曜、第2土曜、第3水曜、第3土曜に公開。開館時間は10:00〜16:00（最終入館16:00）

アクセス

東京都目黒区駒場4-3-33／京王電鉄井の頭線「駒場東大前駅」西口から徒歩7分、小田急電鉄小田急線「東北沢駅」東口から徒歩15分／都営バス渋55系統代々木上原・東北沢経由幡ヶ谷折返所行き「代々木上原」下車徒歩8分

超巨大！　明治の美の殿堂

聖徳記念絵画館

日本で最初の美術館建築。中央のドーム屋根の大広間、翼のように左右に広がる東側は日本画、西側が洋画の展示室。夜間は青山通りからライトアップされた美しい外観が愉しめる

1.大広間の入り口。中央ドーム頂点前の高さは地上約32m。まさに非日常の空間 2.中央ドーム部分の床は、岐阜県産の天然の大理石とタイルの模様が美しい 3.鮮やかなステンドグラスの高窓。ドームの高い位置から光が柔らかな光が降り注ぐ

少し緊張する厳かな空間

西側には西洋画室

天窓も圧巻！

4.絵画室の天井は、採光のためガラスが嵌められている。天候による光の変化も愉しめる 5.絵画には整理番号が振ってあり1〜40番が日本画。41〜80番が洋画となっている。西洋画室の壁はよく見るとうっすら青みがかった色

東京屈指の紅葉スポット、神宮外苑。そのシンボルともいうべきイチョウ並木の行きつく先に、高さ約32m東西約112mの威風堂々たる石造りの建築があります。パッと見は国会議事堂に似ていますが、さにあらず。こちらは、聖徳記念絵画館。明治天皇と昭憲（しょうけん）皇太后の「聖徳（せいとく）」すなわち優れた知恵を後世に伝えるため、1936年完成の国会議事堂よりも早い1926年に竣工したミュージアムです。

建物の随所に取り入れられているのは、当時流行していたウィーン分離派風のデザイン。その荘厳な内部空間と同じくらいに圧倒されるのが、展示室にズラリと並んだ計80点の巨大な絵画。東側の展示室には日本画40点が、西側には洋画40点が、それぞれ展示されています。これらはすべて、この絵画館のためだけに描かれた特注品。

オーダーを受けたのは、岡田三郎助（おかださぶろうすけ）

細かな装飾までじっくり見てほしい

1.日本画室。こちらにも名画がずらり。青みがかった壁の西洋画室に対し、日本画室の壁はやや黄色みがかっている 2.壁と扉の取り合い部などには、幾何学模様の装飾が施されている 3.絵画室にある暖房機器。かつてはこちらのカバーの内部に電熱器が置かれていた。現在はエアコンに変わっているが、館内は広く寒いので冬場は防寒対策を忘れずに 4.大政奉還を描いた日本画。縦3m横2.5〜2.7mもの巨大絵画は、まさに絵に入り込める

や山口蓬春、藤島武二や和田三造といった当時の著名画家76人です。彼らに与えられた画題は、明治天皇の誕生から大葬まで、その生涯での主な事績、ないしは、その間に起きた日本史上の重要なトピックでした。一世一代の大仕事。気合いに気合いが入り、中には完成までに数十年かかった画家も。全80点が揃ったのは、竣工から10年後の1936年だったそうです（結局、国会議事堂と同じ年）。

ちなみに、全80点の絵の中には、歴史の教科書でお馴染みの大政奉還のシーンや、西郷隆盛と勝海舟の江戸開城談判の場面も。館内を一周巡れば、幕末から明治にかけてのさまざまな出来事を追体験できます。

時は令和。明治はさらに遠くなりにけり。しかし、聖徳記念絵画館がある限り、明治はそこまで遠くならないことでしょう。

5.聖徳絵画記念館から広場を見た様子。建物だけでなく、広大な広場のスケール感も非日常の高揚感がある 6.館内にはフズリナやマーチソニアなどの化石もある。よく見て探してみて！

聖徳記念絵画館

設計＝小林正紹（原案）、高橋貞太郎、小林政一（実施設計）／1926年

開＝9：00～17：00（最終入館16：30）、12月30日～1月2日は10：00～17：00（最終入館16：30）／休＝なし

施設維持協力金＝500円

アクセス

東京都新宿区霞ヶ丘町1-1／東京メトロ銀座線・半蔵門線・都営地下鉄大江戸線「青山一丁目駅」0出口から徒歩10分、都営地下鉄大江戸線「国立競技場駅」A1出口から徒歩5分、JR中央線・総武線「信濃町駅」から徒歩5分

とに～のここも見て!!

エントランスの片隅に置かれているスチームパンク風の謎のマシンの正体は、掃除機。清掃スタッフさんの片づけ忘れではなく、竣工当時の様子を伝える貴重な展示品です。建物も大きいですが、掃除機も大きい。

優しい光が注ぐペールブルーの小さな家

新宿区立中村彝アトリエ記念館

北側の天窓と窓から光が注ぐアトリエ。1916年につくられた建物の復元。彝が使用したイーゼルや家具・調度品（複製）が展示されている。ここは画家と同じ光を体験できる貴重な場だ

1.当時のイーゼル（複製）にはあの名作の複製画が展示されている 2.アトリエで制作された≪カルピスの包み紙のある静物≫に描かれたニッチ。いたるところに画家が暮らした痕跡（こんせき）をみることができる。ちなみにカルピスは相馬夫婦からのいただきもの 3.築90年以上のアトリエは一度解体された後、できるだけ当時の部材を活用して再建された。窓台には当時の素材が使われている。剥げかけたペンキや傷に時の流れを感じる 4.出入り口の建具は当時のもの 5.左右で位置がずれたドアノブ。とぼけた感じがかわいい

明治末から昭和初期にかけて、新宿中村屋には多くの芸術家や文化人たちが集い、交流を深めていました。人呼んで、中村屋サロン。その中心人物の一人だったのが、洋画家の中村彝でした。ちなみに、「彝」と書いて「つね」と読みます（おそらく、日本洋画界随一の難読漢字ではなかろうか）。

上京後は、新宿中村屋の相馬（そうま）夫妻の厚意で新宿の中村屋裏のアトリエに住んでいましたが、相馬家の長女である俊子との恋愛を反対されたことを理由に転居。1916年、下落合（しもおちあい）にアトリエ兼住居を新築しました。その建物は彝の没後、増改築を繰り返しながらも大切に住み継がれてきましたが、2013年に新宿区立中村彝アトリエ記念館としてリニューアル。床や天井、壁の腰板など、建築当時の部材をなるべく再利用し、1916年の姿を取り戻しています。

彝は身も心もここで癒やしたのだろう

1 .アトリエを新築してから亡くなるまでの7年間、身の回りの世話をした岡崎きいの部屋 2.彝が亡くなった翌日、1924年12月25日に友人の彫刻家・保田龍門（やすだりゅうもん）らによって制作された石膏のデスマスク（複製） 3.恋した相手、相馬俊子を描いた≪小女≫の高精細写真パネル。この絵画が描かれた後、次第に相馬夫婦は彝が俊子に接近するのを妨げるようになっていった 4.資料を見るとに〜。アトリエに隣接された展示室では、当日の貴重な写真や代表作の複製画を見られる

17歳で肺結核を発症。その病弱な体質も要因となって、俊子と大失恋。以降、病魔や傷心と闘いながら創作活動を続け、37歳という若さでこの世を去った中村彝。どうしてもその悲劇的なトピックばかりがフィーチャーされがちですが、30歳手前で彼が建てた明るく開放的で外観も素敵なこちらの建物を訪れるたびに、〝いやいや、それほど悲しい人生でもなかったのでは？〟と、賃貸独り暮らしの僕（現在36歳）は思うのです。

ちなみに、取材中、アトリエ内で中村彝そっくりな人物と遭遇しました。もちろん中村彝本人ではなかったですが、なんと中村彝を主人公にした演劇で彝役を演じた役者さんでした。きっとこれは、中村彝が取り持ってくれた縁。中村彝アトリエ記念館もまた、新たなサロンとなっているのかもしれません。

5.赤い瓦は当時ベルギーから取り寄せられた。復元の際は同系色のフランス製の瓦が用いられている 6.手が行き届いた小さな庭。彝もこの庭を愛でたのだろうか 7.下見板張りの外壁も当時の通りに復原された。122頁の佐伯アトリエよりも古いこのアトリエは初期のアトリエ建築の特徴を知るうえでも貴重な存在だ

新宿区立中村彝アトリエ記念館

施工（復元前）＝1916年
開＝10：00〜16：30（最終入館16：00）／休＝月曜日（祝日の場合は開館、翌平日休館）、年末年始
入館料＝無料

アクセス
東京都新宿区下落合3-5-7／JR山手線「目白駅」から徒歩10分

中村彝さん!?と記念写真

この日たまたま訪れていた、中村彝と「中村屋サロン」に集う人びとを描いた舞台「大正の肖像画」で彝を演じた劇団民藝のみやざこ夏穂さんと

とに〜のここも見て!!

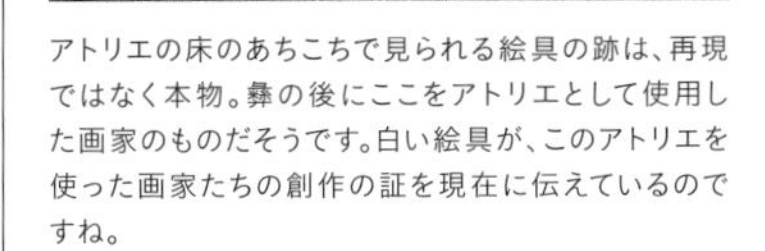

アトリエの床のあちこちで見られる絵具の跡は、再現ではなく本物。彝の後にここをアトリエとして使用した画家のものだそうです。白い絵具が、このアトリエを使った画家たちの創作の証を現在に伝えているのですね。

"パリの画家"日本で唯一の拠点

新宿区立佐伯祐三アトリエ記念館

水色の下見板張りの外壁がさわやかな印象のアトリエ。1921年につくられた建物の復元。
118頁の同時代の洋画家中村彝（なかむらつね）のアトリエからは徒歩10分程度

画家自らが建築したアトリエ

1.北側の窓。隣接する佐伯公園からは切妻屋根の外観とこの窓がよく見える 2.1921年の新築時の様子を再現した模型。母屋の隣の赤い屋根の部分を佐伯が増築した。関東大震災で当時の母屋が破損したにもかかわらず、増築部分はびくともしなかったことが佐伯の自慢だったそう 3.連作≪下落合の風景≫の複製。館内には絵画が描かれた場所をプロットした地図が展示されている。アトリエを見た後に周辺を散策するのもオススメ 4.連作≪下落合風景≫の複製。一時帰国時に描いた絵を売って二度目のパリ渡航費を捻出したといわれている

30歳という若さで、パリ郊外にて客死した夭折の画家・佐伯祐三。パリの街頭風景を描いた絵を多く残したため、パリの画家という印象が強い佐伯ですが、実は結婚してから最初にパリに渡るまでと、帰国後再びパリに渡るまでの計4年ほど落合の地で過ごしています。そんな佐伯の日本で唯一の創作活動拠点であったアトリエは今、記念館として無料で開放されています。

アトリエに入るとまず目に飛び込んでくるのが、天井まで続く大きな窓。日本では一般的に南向きの窓が好まれますが、佐伯のアトリエの窓は北向き。というのも、南向きの窓では、光の向きが刻々と変わってしまうから。直射日光が入りにくい北向きの窓であれば、安定した自然光が手に入るというわけです（佐伯に限らず、画家のアトリエは北向きが好まれています）。

さてさて、アトリエ内には、佐伯の

母屋の南側にあった東屋風の建物を再現したもの。現在は管理棟として使用されている

新宿区立佐伯祐三アトリエ記念館

竣工（復元前）＝1921年
開＝5〜9月 10:00〜16:30　10〜4月 10:00〜16:00／休＝月曜日（祝日の場合は開館、翌平日休館）、年末年始
入館料＝無料

アクセス

東京都新宿区中落合2-4-21／西武鉄道新宿線「下落合駅」北口から徒歩10分、JR「目白駅」から徒歩20分、／都バス白61・池65系練馬車庫前行「聖母病院入口」下車徒歩5分、関東バス宿02丸山営業所行き「聖母病院前」下車徒歩2分

とに〜のここも見て!!

デスマスクならぬライフマスク。アトリエを自ら増築していた際、余った石膏を洗面器に張り、顔を突っこんで制作したのだとか。当時佐伯は20代。やっていることは、そのへんの若者のノリと変わりません。

略歴や年譜のパネルの他に、落合滞在時に周辺の風景を描いた、いわゆる《下落合風景》シリーズのパネルや複製画が展示されています。「なんだ、佐伯作の本物の絵画はないんだ……」とガッカリした方もいらっしゃるかもしれませんが、こちらの記念館では、ある意味で佐伯の最大の作品を観ることができるのです。

それは、アトリエの続きにある洋風の小部屋。実はこの小部屋、アトリエを建てた大工さんから贈られた鉋（かんな）を使って、佐伯自らが増築したもの（現在の建物は復元）。佐伯が描く建物は荒々しく歪んでいますが、小部屋に関しては一切の歪みナシ！　関東大震災の時も全く被害がなかったそうです。

余談ですが、アトリエの入り口に、記念撮影用の佐伯のイラストパネルが設置されていました。等身大とのこと。想像していたより小柄でした。

七百年余の細川家の名品がずらり

永青文庫（えいせいぶんこ）

白漆喰の外壁にペールブルーの窓がアクセントになった外観。建物全体が蔵のようにも見える

1.3階の展示室には木製の展示ケースが並ぶ。新しい美術館の白い展示ケースよりも、作品に親しみが持てそう 2.調度品なども当時のまま。透かし彫がほどこされたランプも趣きがある 3.2階展示室。ソファに腰を掛けて要人気分を味わってみて。非公開だがヴェルサイユ条約調印に使われたといわれるテーブルと椅子がある部屋もあるそう 4.3階展示室の入口は重厚な扉が設けられている

目白台の高台にひっそりと佇む永青文庫。肥後熊本藩細川家が守り続けた文化財と設立者である16代護立のコレクションを収蔵する美術館です。もともとは、この一帯に広大な細川家の屋敷があったそう。その一隅に昭和初期に細川侯爵家の家政所（事務所）として建設されたのが、現在の永青文庫に当たる建物です。

数年前の大規模な改修工事で吹き抜けスペースが誕生し、文字通り、館内の一部に新しい空気が吹き込まれました。ただし、赤いじゅうたんが敷かれた階段、倉庫をリノベーションした展示室など、館内の大半は今も昭和初期の面影を残しています。

さらにレトロ好きならば、館内の家具も見逃せないところ。古い書籍がズラリと並ぶ本棚も、休憩スペースにあるソファも、そして、4階展示室の前に置かれたテーブルも、実は貴重なア

昭和初期のレトロな空気に浸る

1.真鍮製の手摺は、経年により渋いい色！ 2.書棚には革張りの洋書が収められている。本物の重厚感がある

3・4.4階の展示室。細川家の家紋だけでなく、よく見ると他家の紋が見つけられる。これは細川家に嫁ぐ際に持ちこまれた長持だそう。探してみて！

永青文庫(えいせいぶんこ)

設立＝1950年
開＝10:00〜16:30（最終入館16:00）／休＝月曜日（祝日の場合は開館、翌平日休館）、年末年始、展示替え期間
入館料＝一般800円（700円）、70歳以上600円（500円）、大・高校生400円、中学生以下は無料

アクセス
東京都文京区目白台1-1-1／JR「目白駅」（「目白駅前」バス停）・副都心線雑司が谷駅出口3（「鬼子母神前」バス停）より都営バス「白61 新宿駅西口」行き「目白台三丁目」から徒歩5分、都電荒川線「早稲田駅」から徒歩10分、東京メトロ有楽町線「江戸川橋駅」1a出口から徒歩15分・東西線「早稲田駅」3a出口から徒歩15分

とに〜のここも見て!!

いかにも年代物といった感じのレトロでアンティークな展示ケース。その細部には、ところどころに青いシールが貼られていました。この凹凸具合は、おそらくテプラで作成されたもの。小さいレトロ見つけました。

ンティーク家具です。さりげなく置かれています。さすが大名家。こうした家具がさりげなく置かれています。さらに、4階展示室の展示ケースの下にもご注目ください。ここは常時、細川家に代々伝わる長持(ながもち)（主に江戸時代に用いられた衣類や調度品の収納箱）がディスプレイされています。もはやアンティーク家具というレベルを軽く通り越しています。

さてさて、電車で永青文庫に向かうなら、有楽町線の江戸川橋駅、東西線の早稲田駅が最寄駅となりますが、よりレトロな気分を味わいたいのであれば、東京で現存する唯一の路面電車・都電荒川線に揺られて、早稲田停留所から向かうのがオススメ。ただし、永青文庫の手前にある胸突坂(むなつきざか)には要注意。胸を坂に突くように歩かねばならぬ急坂です。

Chapter 5

世田谷・練馬

「住みたい街」として、今も昔も人気の世田谷。そして、「住みやすい街」として、今も昔も人気の練馬。都会の喧噪から離れた場所を求めて、かねてより多くの芸術家が世田谷や練馬に移り住んできました。そんな彼らのアトリエ兼住居だった建物が、美術館に。当時の面影を色濃く残しているので、美術作品を鑑賞しに行く、というよりも、芸術家の魂に逢いに行く、といった表現のほうがしっくりくるかもしれません。

ちなみに、それらの美術館の多くは、最寄り駅からやや距離があります。おそらく広いスペースが確保でき、かつ静かなところで制作に集中したかったからでしょう。駅から美術館まで。この道のりを芸術家も歩いていたのかと思うと、ワクワクしてきませんか？

画家の息遣いが聞こえる!

福沢一郎記念館

大きな絵画を
描けるよう、
天井が高い

展覧会は春と秋の年2回、アトリエを身近に感じながら鑑賞を楽しめる。北向きの窓や、
階段、高い天井などは福沢がパリ時代に使っていたアトリエとの共通点が多いそう

1.湿気やシロアリにも耐性がある青森ヒバを使用した東側の壁。この日は花をモチーフにした絵画が展示されていた 2.床には制作の際にできたと思われる絵具の飛沫が。床も当時のまま 3.アトリエの北側には大きな窓。アトリエは1日を通して明るい

日本を代表する洋画家の一人、福沢一郎。フランス留学中に、当時新たに起った芸術運動、シュルレアリスムに影響を受け、帰国後、日本に本格的に紹介した人物として知られています。その彼の自宅アトリエをそのまま残す形で、1994年に開館したのが福沢一郎記念館です。床には色とりどりの絵の具の跡が、丸テーブルの上には擦り付けたような筆の跡がびっしり。つい先ほどまで、ここに福沢一郎がいたのでは？　そんなシュールな感覚が呼び起こされます。

アトリエ部分や福沢一郎の私物が展示された小部屋をたっぷりと堪能した後は、居心地の良さ抜群の書斎でゆったりと一休みするのがオススメです。実はかつて、こちらのアトリエには、福沢一郎を慕って、若き前衛画家たちが集まっていたのだそう。きっと彼らも、この書斎で福沢一郎と語らったり、

若き前衛画家たちが集うサロン

サロンには福沢が旅先で買い求めた愛用品が並ぶ。サロンに集う若者には、シュールレアリスムに取り組む画家に交じって円谷プロで怪獣製作を手掛けた高山良策（たかやまりょうさく）もいたそう。さすがウルトラマンの街の砧（きぬた）の美術館！

書棚にある美術本や画集を読み耽ったり、ゆったりとした時間を過ごしていたことでしょう。ちなみに、その際に、お茶とともによく振る舞われていたというのが、福沢一郎の妻お手製のシフォンケーキ。今回の取材時、特別に当時の雰囲気を再現して、シフォンケーキを焼いていただきました。実に優しい味。おいしゅうございました。当時の若い画家たちが、アトリエに通いたくなるのも納得です。

さてさて、そんな通いたくなる記念館ですが、開館しているのは、春と秋に開催される約1ヶ月の展覧会期間中のみ。しかも、開館日は週4日ほどです。どうして、もっと開館しないのか？　一度だけ、先代の館長に質問してみたことがあります。すると、「いやぁ、他の日は、遊びたいでしょ（笑）」と、ストレートな回答が返ってきました。ごもっとも。

1.福沢愛用の丸いテーブル。筆を机になすり付けながら描いていたそうで、筆跡がびっしり。画家の制作の様子が想像できるのもアトリエならでは 2.緑と白で塗分けられた外観。単純な塗分けには、おもちゃのようなかわいさがある 3.ショーケースに収められた十字架。ドライな批判精神をもつ福沢。一体どんな意図でコレクションしていたのだろう

福沢一郎記念館（ふくざわいちろうきねんかん）

竣工＝不明
開＝春秋2回の展覧会会期中に週4日程度開館、12:00〜17:30（最終入館17:00）／休＝展覧会により異なる
入館料＝300円

アクセス
東京都世田谷区砧8丁目14-7／小田急電鉄小田急線「祖師谷大蔵駅」北口から徒歩5分・「成城学園駅」南口から徒歩10分

とに〜のここも見て!!

書棚には美術書や画集がいっぱい。中には、希少なダ・ヴィンチの手稿集もあります。本好きにはたまらない眺めです。インターネットがなかった時代、若い画家たちにとっては貴重な情報源だったことでしょう。

世界で初めての絵本美術館

ちひろ美術館・東京

館内に再現されたちひろのアトリエ。本棚に飾られた小さな人形たちも、ちひろの絵画の世界と調和している。
水彩に使用する道具をすぐに洗えるように、左奥に手洗い場が設けられている

1.緑に囲まれたアプローチを通って入り口へ向かう。正面から入り口がよく見えないところが奥ゆかしさを感じる 2･3.階段下の低い位置に展示された不思議な鏡。子ども目線になって楽しんで！ 4.2階廊下に置かれた親子のための椅子。上から見ると豆のような形をした座面に2人で腰を掛けると、自然と親子が向き合う姿勢になるから不思議。ぜひ座ってお話ししてみて

子どもを生涯のテーマとして描き続けた絵本作家にして画家いわさきちひろ。その名前を知らずとも、〝にじみ〟を生かした独自の水彩スタイルの絵は、きっと皆さまが子どもだった時代に絵本で目にしていたことがあるはずです。その彼女が亡くなるまでの22年間を過ごした下石神井の地に、1977年に開館したのが、ちひろ美術館・東京。実は意外と知られていませんが、世界で初めての絵本美術館です。

赤い壁が特徴的な現在の建物は、2002年に建築家の内藤廣さんによって、全面改装されたもの。全館バリアフリーで、開館当時から比べると7倍の広さに生まれ変わりました。4つの展示室にくわえ、ちひろのアトリエを部屋ごとそっくりそのまま復元したスペース、ちひろが愛した草花や樹木が植えられ四季折々の植物が楽しめ

ちひろの優しい気持ちに包まれよう

1.図書室。懐かしの絵本を探してみては 2.絵本を読みながらゆったり過ごせる絵本カフェ 3.とに〜オススメのりんごのアイスティー 4.天気のよい日は、中庭に面したテラスも気持ちよい

る庭が誕生しています。
　また、子どもたちが生まれて初めて訪れる美術館『ファーストミュージアム』としての施設も完備。あかちゃんや小さい子どもが木や布のおもちゃで遊ぶことのできる「こどものへや」や、ちひろの絵本はもちろん国内外の絵本約3千冊が揃い自由に手に取れる「図書室」などがあり、親子連れにも大人気の美術館となっています。
　さらに、館内にある絵本カフェも大人気。ちひろの心のふるさとで姉妹館がある信州・安曇野(あづみの)から取り寄せたおやきや、ちひろの大好物だったといういちごのババロア（数量限定）、ノンカフェインのドリンクなどなど、他のミュージアムカフェにはないほっこりしたメニューが多数取り揃えられています。
　館内のいたるところに優しさが〝にじむ〟美術館です。

5.中野滋の≪ポニーといるリトル・ジョー≫。こどもをモチーフにした彫刻作品 6.小さな子どもたちも楽しめるよう、通常より低めの位置にも作品を展示している 7.図書室には子どもサイズの小さな椅子も 8.子どもたちが手にとって選べるように図書室の本棚は低めに抑えられている 9.小さな入り口がゆえに迷う人がいないよう設置された看板。やっぱり優しい 10.ちひろのイラストが描かれた遊具（企画展のみ。現在は終了） 11.開放的なミュージアムショップにはオリジナルグッズも充実 12.日本国内の優秀な建築に与えられる建築業協会賞を受賞している

ちひろ美術館・東京

設計＝内藤廣／2002年

開＝10:00〜17:00（最終入館16:30）／休＝月曜日（祝日の場合は開館、翌平日休館）、年末年始、冬季休館、展示替えのため臨時休館する場合も有

入館料＝大人800円（700円）、高校生以下無料、65歳以上700円、障害者手帳提示の方は400円・介添の方は1名まで無料、視覚障害のある方は無料（2020年3月以降の料金は、公式HP等をご確認ください）

アクセス

東京都練馬区下石神井4-7-2／西武鉄道西武新宿線「上井草駅」から徒歩7分、JR中央線「荻窪駅」から西武バス荻14系統石神井公園駅行き「上井草駅入口」下車徒歩5分、西武鉄道池袋線「石神井公園駅」から西武バス荻14系統荻窪駅行き「上井草駅入り口」下車徒歩5分

とに〜のここも見て!!

図書室の一角に並ぶ百科事典みたいなものの正体は、開館から今日まで来館者が記した300冊以上の感想ノートを製本したもの。こんな形でコメントを残しているなんて。事前にひとこと教えて欲しかった。

郷愁にどっぷり浸る

向井潤吉アトリエ館

中庭から見た外観。切妻の大屋根からはどことなく民家の趣を感じる

1.藁葺きの民家の地域ごとの特徴を探してみよう 2.冬場は、入り口の囲炉裏が温かく迎えてくれる 3.吹き抜けが気持ちいい展示室。屋根なりの勾配天井は包まれているような安心感がある

戦後の高度経済成長により、次々に姿を消していった藁葺き屋根の民家。その美しさを絵に残したいと、北は北海道から南は鹿児島まで、某俳優ばりに日本全国の建ものを探訪しては、その姿を描き続けた洋画家・向井潤吉。約40年にわたって1千軒以上の民家を巡り、民家を描いた油彩作品を2千点以上も残しています。

そんな「民家の向井」こと向井潤吉が、世田谷区弦巻の住宅街に居を構えたのは1933年のこと。その後、戦争や火災など多くの困難に見舞われますが、1958年に現在の建物（藁葺き屋根ではないですが）を再建、1969年には岩手県一関市の旅館から土蔵をアトリエとして使用するため移築します。1993年、向井一家が長年愛用した自宅兼アトリエ、いうなれば「向井の民家」は、向井自身によって美術館に改装され、自身の作品

季節が変わるたびに訪れたい

1.縁側にてくつろぐとに～。庭を眺めながらゆったり過ごせる 2.向井が使った絵具箱。絵具のチューブが乱雑に収められている 3.絵具を収納していた箪笥上面と右側にははねた絵具の跡 4.向井が使っていた居間。小さな床の間には民芸品や自身の絵画が飾られている

数百点とともに世田谷区に寄贈されました。こうして誕生したのが、現在の向井潤吉アトリエ館です。

日本の原風景を残したい。そう願った向井の想いは、今もなおアトリエ館の職員さんたちに受け継がれています。作品や庭、建物そのものに宿る日本の原風景のイメージを大事に残しているのはもちろんのこと。お正月には和室の床の間に鏡餅を飾ったり、秋には庭の柿の木から収穫した柿で干し柿を作ったり、と慣習も大切にしています。かつては日本のいたるところで見られた古き良き光景が、今も大切に継承されているのです。

僕の実家は団地なのですが、それでも日本人としてのDNAが反応するのでしょう。訪れるたびに、まるで自分の実家に帰ってきたかのような錯覚に陥ります。思わず「ただいま」と言いたくなる美術館です。

5.建物探訪にも一緒に出掛けた向井の相棒。向井は絵画を描く資料として、藁葺民家の写真もたくさん残している 6.スクラップブックには、その土地の銘菓のパッケージや旅館の案内など旅の思い出が貼り付けられている 7.背負子（しょいこ）。藁葺民家とともに愛した民具も展示 8.アプローチの石畳。所々に現れるスクラッチが施された石がアクセントになっている 9.庭には小さな地蔵が。かわいい 10.背の高い木々が庭に木陰をつくる。天気のよい日には木陰の石のテーブルセットでくつろげる

向井潤吉（むかいじゅんきち）アトリエ館

設計－株式会社佐藤秀／1962年（土蔵は1969年に移築）

開＝10:00～18:00（最終入館17:30）／休＝月曜日（祝日の場合は開館、翌平日休館）、年末年始、展示替え期間

入館料＝一般200円（160円）、大学・高校生150円（120円）、小・中学生100円（80円）*、65歳以上100円（80円）＊小・中学生は土・日・祝・休日、夏休み期間中は無料

アクセス

東京都世田谷区弦巻2-5-1／東急田園都市線「駒沢大学駅」西口から徒歩10分、東急世田谷線「松陰神社前駅」から徒歩17分

とに～のここも見て!!

「民家の向井」は家具も好きだったよう。アトリエ館に残る家具は、優れたものが多いです。土蔵に置かれたベンチは、ヨーロッパ農家風の家具で知られる林二郎（はやしじろう）のもの。全面が黒いのは火事で焦がれたため。

抽象絵画のようにモダンな住宅

清川泰次(きよかわたいじ)記念(きねん)ギャラリー

かつてのアトリエ。十字形に走る梁、鈍角な階段、不自然に背の高いドア。
一見普通の空間だけれども、ささいなプロポーションの違いが建物を非日常的に感じさせる

1.屋根も壁も白く塗られた外観。中央の引き戸の桟の黒が心地よいアクセントになっている 2.床をよく見ると白い絵具が。やっぱり白が好きだった？ 3.建物は白を基調としながらも、作品は鮮やかなものも。2度の渡米を経てシンプルなスタイルになった清川は70～80年代にかけて白を多用、その後90年代は様々な色を用いたそう 4.手摺壁でポーズをとるとに～。この手摺壁よく見ると先端部分も垂直ではなく角度がついている。垂直ではないだけで抽象画風に見えるから不思議だ

成城学園前駅南口から歩くこと数分。閑静な住宅街の一角に、1961年竣工の建築とはとても思えない白くモダンな建物があります。かつて、この建物に住んでいたのは、清川泰次。シンプルなスタイルを追求し、晩年まで徐々にスタイルを変えながら、独自の抽象絵画世界を切り開いた画家です。

このアトリエ兼住居は、彼の死後、ご遺族によって世田谷区に寄贈されます。そして、一部が改装され、2003年より清川泰次記念ギャラリーとして第2の人生（建物生？）を歩んでいます。建物の一番の見どころは、何と言っても展示室。こちらはもともと清川がアトリエとして使っていたスペースです。天井高は5.4m。2階分の吹き抜けが、実に気持ちのよい空間となっています。

また、天井部の十字形の梁や不思議

愛蔵品からは画家の人となりが見える

1.清川は1980年代にはいると、絵画だけでなく立体作品や生活デザインも手掛けるようになる。グラスやカップ&ソーサー、ファブリックも展示されている 2.本棚には「アルス最新寫眞大講座」の蔵書が。学生時代にはモノクロ写真を撮影していたそう 3.なんともユニークな顔が描かれた筆立て。こちらは珍しく具象画(?)

な角度を見せる階段の手摺のライン、2階部分の壁に小さく開いた窓など、建物の随所に清川の美意識が反映されていました。どのアングルから見ても、どんな切り取り方をしても、ピタッと絵になります。まるでこの展示室そのものが、一つの清川のシンプルな抽象絵画のようでした。

さてアトリエだった空間に隣接するのは、もとは娘さんの部屋だったというスペース。小さなフロアながら、こちらは清川の愛蔵品も置かれた展示室として使用されています。足が疲れたら、ソファーで一休み。そこから眺める中庭の景色がオススメです。作品も内装のデザインもシンプルさが追求されていますが、対照的に庭はいい意味でカオス。ハナスオウにツツジ、アジサイに柿、ゴーヤにシュロなど、さまざまな植物が生育しているにも関わらず、不思議な調和を見せています。

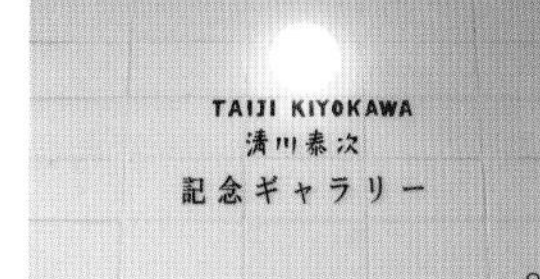

4.エントランスから眺めた庭。夏は日除けのオーガンジーの布越しに見える光が美しい 5.手入れが行き届いた庭もオススメ 6.清川デザインのエントランスのタイル。連続する幾何学模様がさざなみのように見える 7.白い外観に彩を添える銀色のポストも当時のまま。白い空間へのアクセントと考えたのだろうか 8.手書きのサインから起こした記念館表札。清川らしいシンプルな字体

清川泰次記念ギャラリー(きよかわたいじきねん)

竣工＝1961年
開＝10:00～18:00(最終入館17:30)／休＝月曜日(祝日の場合は開館、翌平日休館)、年末年始、展示替え期間
入館料＝一般200円(160円)、大学・高校生150円(120円)、中学・小学生100円(80円)、65歳以上・障がい者の方100円(80円)

アクセス
東京都世田谷区成城2-22-17／小田急電鉄小田急線「成城学園前駅」南口から徒歩3分

とに～のここも見て!!

小さな展示室に用意されているのは、セルフサービスのお茶セット。そのグラスのデザインが洒落ているなァと思ったら、清川泰次がデザインしたものとのこと。ミュージアムショップで販売されていました。

超濃厚！東洋美術の魅力をどうぞ

静嘉堂文庫美術館

静嘉堂文庫美術館外観。東洋美術のコレクションが愉しめる

1.100周年を記念して建てられた美術館の展示室。明るい展示室でゆったり鑑賞できる 2.玄関ホールで出迎えてくれる岩﨑彌之助とともに～ 3.展示室のベンチに座れば、ちょうど畳に座って掛軸や屏風を見る視線に。画家が本来意図した視点から鑑賞できる

二子玉川から少し離れた岡本の地にある小高い丘。その丘の上に、イギリス郊外の洋館をイメージしたスクラッチタイル貼りの洒脱な建築があります。その正体は、静嘉堂文庫。三菱2代目社長である岩﨑彌之助の17回忌に際し、その息子で4代目社長の岩﨑小彌太が建設した和漢の古典籍を専門とする図書館です（静嘉堂の名は彌之助の堂号に由来します）。ジョサイア・コンドルにも学んだ桜井小太郎によって設計されました。ちなみに、建物の前庭にある円形の噴水はただのシンボルではなく、いざという時には防火用水としても機能するのだそうです。

なお、静嘉堂文庫は古典籍専門の図書館であるため、利用には紹介状が必要となりますが、「そんなコネはない！」とお嘆きの方もどうぞご安心を。1992年に、静嘉堂文庫創設100周年を記念して、その隣に誰でも利用

イギリス風の洋館の上品な佇まい

外観はスクラッチタイル貼りの文庫は1924年に建てられたもの。当時のイギリス郊外住宅のスタイルを踏襲したデザイン

できる静嘉堂文庫美術館が建設されました。こちらでは、岩﨑父子が蒐集した、国宝7件、重文84件を含む、貴重な和漢の古典籍や、美術品の数々を、その目で鑑賞することができます。展示室は小ぶりですが、小さいからと侮るなかれ。開催される展覧会は毎回質が高く、内容が充実しています。東洋古美術の魅力がギュギュっと凝縮された濃度の高い美術館です。

さてさて、数ある貴重なコレクションの中で特に一度は見ておきたいのが、国宝「曜変天目(ようへんてんもく)」です。現存数が極めて少ない、世界に3つだけの茶碗。そのすべてが日本にあり、3碗とも国宝に指定されています。とりわけ静嘉堂所蔵の「曜変天目」は、世界中の美術ファンから注目を集める逸品。漆黒の釉(ゆう)に神秘的に輝く青い光は、まるでオーロラのよう。大げさでなく、宇宙が感じられます。

1.庭園への小さな入り口(ここも見て!!参照)を抜けると、木々を見下ろす絶景が。丘からの眺めは岩﨑家の方々もみたのだろうか 2.吹き抜けには三角錐形の照明 3.吹き抜け下から見上げたところ

静嘉堂文庫美術館（せいかどうぶんこびじゅつかん）

開＝10:00〜16:30(最終入館16:00)／休＝月曜日(祝日の場合は開館、翌平日休館)、展覧会会期間以外は休館(常設展はなし)
入館料＝大人1,000円(800円)、大学・高校生700円(500円)、障害者手帳提示の方および同伴者1名700円(500円)、中学生以下無料

静嘉堂文庫（せいかどうぶんこ）

設計＝桜井小太郎／1924年
原則、非公開

アクセス

東京都世田谷区岡本2-23-1／東急電鉄田園都市線「二子玉川駅」から徒歩25分／二子玉川駅から東急コーチバス玉30・31・32系統「静嘉堂文庫」下車徒歩5分、成城学園駅から二子玉川駅行きバス「吉沢」下車徒歩10分

とに〜のここも見て!!

武蔵野の面影を色濃く残した庭園も、静嘉堂文庫美術館の魅力の一つ。梅やギンモクセイなど、季節を通じて自然が楽しめます。ただ、その庭園に行くためのルートが、ちょっと変わっています。

平安貴族の雅気分を味わう

五島美術館

五島美術館の中庭。設計は、166頁の玉堂美術館と同じ吉田五十八（よしだいそや）。
寝殿造風の五島美術館と数寄屋造風の玉堂美術館と見比べるのも楽しい

平安時代の国宝を味わう

床・壁・天井が黒で統一された珍しい展示室。普段白い展示室に見慣れているが、日本美術にはこの陰影がぴったりくる

〝鉄道王〟の異名を持ち、東急グループの礎を築いた実業家・五島慶太。五島は鉄道事業を拡大する一方で、日本と東洋の古美術品コレクションも拡大していきました。その貴重な収蔵品の数々を一般に公開すべく、彼は美術館の設立を決意。東急大井町線上野毛駅から徒歩約5分、閑静な住宅街にある五島家の敷地内に美術館を開館しました。古写経や茶道具、墨跡（僧侶の書）といったコレクションにも定評がありますが、白眉はやはり《源氏物語絵巻》と《紫式部日記絵巻》。平安、鎌倉時代を代表する美術品で、国宝に指定されています。通常は毎年春と秋それぞれ1週間限定で公開される、五島美術館のマスターピースです。

この2つの国宝を飾るに相応しい美術館建築にすべく、五島美術館の建物には、平安時代の代表的建築様式である寝殿造の趣向が随所に取り入れられ

1.石段の上には大日如来の石仏が。六地蔵など石像の多くは伊豆や長野の鉄道敷設作業の際に、移動を余儀なくされたものを引き取ったもの。さすが鉄道王！ 2.庭園内にある春山荘門。この他に赤門もある 3.庭園のなかにある稲荷丸古墳。古墳のある美術館はおそらく五島美術館だけだろう 4.ゾウやヒツジなど動物をモチーフとした石造も点在

心地よい静寂のなかで美術と対峙

障子を介して自然光が注ぐ第2展示室（展示品によっては完全遮光）。こちらは2012年に改修・新設

ました。意識してみると、柱が露出した真壁風の外観、テラスのような濡れ縁など、いたるところに平安をイメージさせる要素が見て取れます。都内でもっとも古いデザインで設えた美術館といえるでしょう。

展示室で美術品をたっぷり鑑賞した後は、約5千坪を誇る庭園へ。こちらでは、五島が伊豆や長野の鉄道事業で引き取った石仏の数々や、明治時代に建てられた茶室・古経楼（非公開）などを鑑賞することができます。

庭園の散策後、つい飲みたくなるのが、館内の自販機で売っているコカ・コーラ。実は、《源氏物語絵巻》の前の所有者は、コカ・コーラを日本に紹介した髙梨仁三郎。五島に譲渡した資金のおかげで、コカ・コーラの事業を拡大できたのだそう。もし、五島美術館がなかったら、日本でのコカ・コーラの普及は泡と消えていたかも。

1.エントランス。床は有職文様の松皮菱で構成されている 2.建物入り口。建築家・吉田五十八は建物の色にこだわり、気に入った色をつくるまでに60日もかけたそう 3.寝殿造で用いられる蔀戸をモチーフにデザインされたガラスブロックと丸柱の組み合わせ。外観だけでなく内観もちゃんと平安時代風 4.第1展示室入り口のガラス戸の引手。エントランスの床と調和するデザイン 5.第1展示室入り口の愛染明王像。かつては鶴岡八幡宮内にあったものが、さまざまな経緯を経て五島美術館へ。常設展示されている 6.庭だけでなく、建物付近にもちょこんと石造物が。思わぬところにあるからよく見て 7.中庭へは、階段を下りて向う 8.ミュージアムショップでは絵巻の一筆箋などのオリジナルグッズも取り扱う

五島美術館

設計＝吉田五十八／1960年

開＝10:00〜17:00(最終入館16:30)／休＝月曜日(祝日の場合は開館、翌平日休館)、年末年始、夏期整備期間、展示替え期間等は休館

入館料＝大人1,000円(800円)、大学・高校生700円、中学生以下無料(特別展は別途)

アクセス

東京都世田谷区上野毛3-9-25／東急電鉄大井町線「上野毛駅」正面口から徒歩5分

とに〜のここも見て!!

武蔵野台地にある延長約30kmの崖の連なり、国分寺崖線上に位置する五島美術館。そのため庭園からの見晴らしは最高。条件が良ければ、富士山の姿を臨むことができます。ちなみに、東急大井町線や東急が開発した二子玉川の街も臨めます。

Chapter 6

旅行気分で行く東京のレトロ美術館

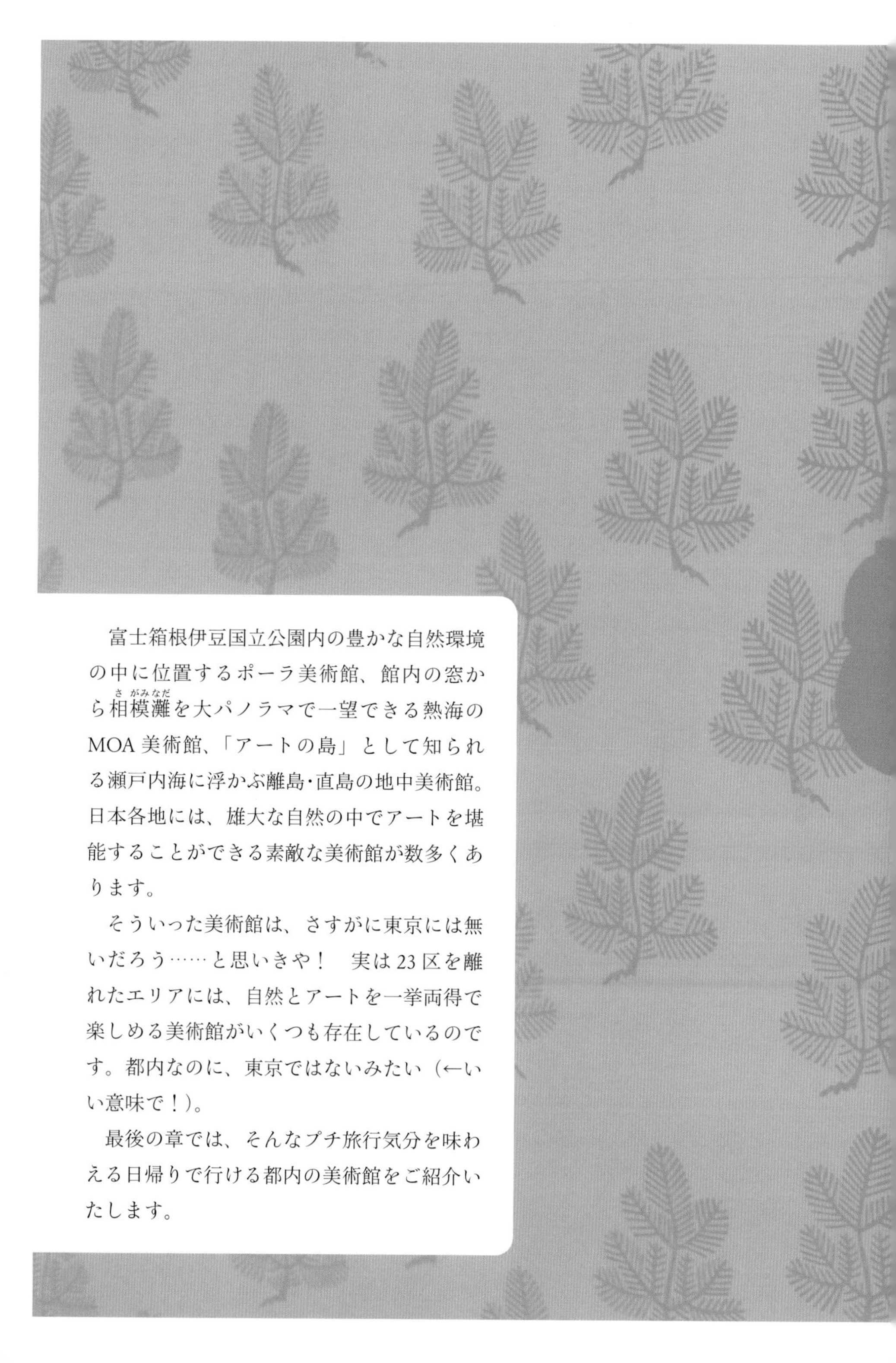

富士箱根伊豆国立公園内の豊かな自然環境の中に位置するポーラ美術館、館内の窓から相模灘(さがみなだ)を大パノラマで一望できる熱海のMOA美術館、「アートの島」として知られる瀬戸内海に浮かぶ離島・直島の地中美術館。日本各地には、雄大な自然の中でアートを堪能することができる素敵な美術館が数多くあります。

そういった美術館は、さすがに東京には無いだろう……と思いきや！　実は23区を離れたエリアには、自然とアートを一挙両得で楽しめる美術館がいくつも存在しているのです。都内なのに、東京ではないみたい（←いい意味で！）。

最後の章では、そんなプチ旅行気分を味わえる日帰りで行ける都内の美術館をご紹介いたします。

白洲夫妻のこだわりが満載

旧白洲邸 武相荘

白洲夫婦は戦況の悪化による空襲や食料不足を危惧して農地付きの民家を購入したといわれている。
購入費用には、日本水産・帝国水産統制株式会社（後のニチレイ）に勤めていた次郎の退職金が充てられた

二人のセンスが光る品々

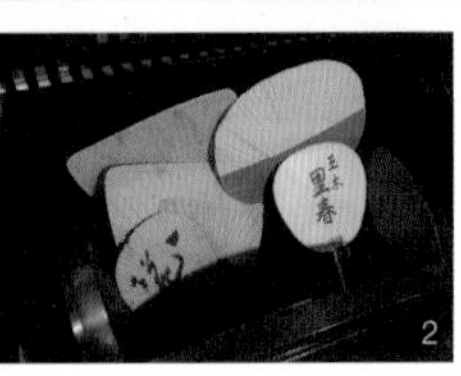

1.母屋の展示スペース。正子がまさに全国各地から集めてきた品々が。展示品は季節ごとに入れ替えられる 2.取材で伺った季節は夏。展示室には祇園舞子の団扇が 3.次郎のジャケットやステッキ。蒐集品だけでなく白洲夫婦の愛用の品々も展示されている 4.萱き屋根の母屋では季節の花が生けられる

戦後日本の復興に大きく関わり、日本で初めてジーンズを履いたといわれる〝日本一カッコいい男〟こと白洲次郎。4歳から能に親しみ、14歳で女性として初めて能舞台に立った随筆家・白洲正子。そんな夫妻が明治初期の養蚕農家を買い取り、自分たちで手を入れながら終生暮らしたのが、「武相荘」です。立地が武蔵と相模の境にあることと、「無愛想」という言葉を掛けて白洲次郎が名付けました。

2001年からは記念館・資料館として一般公開されており、白洲夫妻の生活を見ることができるミュージアムとして人気を博しています。主に展示スペースとなるのは、今ではすっかり見かけなくなった萱葺き屋根が特徴の母屋です。こちらでは、二人が愛用した調度品や着用していた洋服、仕事道具などが展示されています。その中には、DIYを好んだという次郎お手製

戦況が悪化した1943年5月ごろから、白洲夫妻の自給自足生活がはじまった。母屋にはその当時の次郎の書斎がそのまま保存されている。書斎にある本棚には武蔵野の郷土史を記した書籍も。晴れた日は野良仕事、雨の日は興味の赴くまま研究の生活を送ったのだろうか

懐かしいけどかっこいい佇まい

バー＆ギャラリーで佇むとに〜。ここでは、次郎愛用の品々を眺めながらお酒やディナーも楽しめる

の家具（門の前に置かれた新聞＆郵便受けの臼も次郎が作ったもの）や、骨董品を求めて東奔西走した〝韋駄天お正〟が蒐集したコレクションなど、二人が愛した品々もありますよ。

さてさて、邸内には母屋の他にも、次郎が最初に乗っていたというアメリカ車ペイジのあるカフェスペースや、夫妻が趣味を楽しんだ工作室をリニュアールしたレストランなど、見所がいっぱい。納屋を改装したバー＆ギャラリー〝Ｐｌａｙ Ｆａｓｔ〟も、是非見ておきたい空間です。こちらには、次郎が実際に使っていたというバーカウンターが設置されていますよ。

ちなみに、店名の由来は「さっさと、やれ！」。ゴルフ場での次郎の口癖だったそうです（笑）また、母屋の裏には竹林や紅葉が美しい散策路も。ここはスーツでなく、ジーンズで散策したかったです。

1.レストラン武相荘。ここではフレンチシェフの本格的な料理が味わえる 2.季節のよい時期にはテラスもオススメ 3.レストラン窓には装飾も施されている 4.併設されたショップ。ここでは正子好みの器なども扱う 5.植えたものと自生の植物が調和した散策路。この奥には竹林が広がる 6.ガレージには次郎の愛車。このガレージ前の広場では、秋に2回ほど骨董市が開かれる。開館前から行列ができるほどの人気だ。開催概要は公式HPにて告知。骨董好きの方は参加してみよう 7.次郎は手先が非常に器用だった。こちらはお手製の臼を利用した新聞受け。板に彫った「しんぶん」の文字がほっこりする 8.駐車場からの入り口には土壁に武相荘の文字。こちらも手作り感があっていい

とに〜のここも見て!!

納屋の下にある農具は、次郎が畑仕事で実際に使用していたもの。次郎は、地方に住みながら中央政治に目を光らせる英国貴族のライフスタイル「カントリージェントルマン」を実践していました。

旧白洲邸 武相荘（きゅうしらすてい ぶあいそう）

竣工＝1943年

開＝10:00～17:00(最終入館16:30)／休＝月曜日(祝日の場合は開館、翌平日休館)、夏季・冬期休館も有

入館料＝大人1,100円、小学生以下の入館不可(ただし乳児は除く)

アクセス

東京都町田市能ヶ谷7-3-2／小田急電鉄小田急線「鶴川駅」北口から徒歩15分

豊かな自然と美しい日本画
玉堂美術館
多摩川の
せせらぎが
聞こえる……

152頁の五島美術館と同じ吉田五十八設計。玉堂は生前五十八とも親しかった。
とに〜の前に広がる枯山水は元総理大臣・吉田茂や田中角栄の邸宅の造園を手掛けた中島健が設計した

豊かな自然は玉堂の絵画そのもの

1.展示替えは年に7回。季節に見合った作品を楽しめる 2.奥多摩の山並みを眺める玉堂 3.67歳のときには、文化勲章を賜った 4.玉堂15歳ころの素描。この頃、絵を習いはじめた

横山大観（よこやまたいかん）、竹内栖鳳（たけうちせいほう）と並び近代日本画三巨匠の一人に数えられる川合玉堂（かわいぎょくどう）。日本の自然をこよなく愛し、豊かな自然とそこに暮らす人々の姿を描き続けた国民的画家です。そんな玉堂が84歳で亡くなるまでの10余年間を過ごしたのが、奥多摩の入り口、青梅市御岳（おうめしみたけ）の地でした。近所に子どもが生まれると、鯉（こい）の絵を描いて贈ったという玉堂。そんな彼の人柄は、土地の人々からも大変慕われていたのだそうです。それゆえ、玉堂の死後、土地の人々を中心に、日本全国の玉堂ファン、さらに玉堂に絵の手ほどきを受けていた当時の皇后陛下様など、実に多くの人たちから寄付が集まり、この奥多摩の地に彼の美術館を建設しようということになったのだそう。都内には数多くの美術館がありますが、人々のチャリティー精神で生まれた美術館はおそらく玉堂美術館だけでしょう。

5.多摩川を挟んだ対岸から玉堂美術館を臨む。渓流に紅葉。雄大な自然も一緒に味わえる、まさに遠くても足を延ばして行きたい美術館だ 6.入り口の前でパチリ。飛騨の民家をモチーフにしたといわれる大屋根は力強さと優美さを兼ね備えている

画室の様子も覗いてみよう

1.玉堂の画室の再現。玉堂は1944年、71歳からこの奥多摩の地に住み始めた 2.イーゼルの右手に置かれた愛用の火鉢や絵筆も当時のもの。絵画制作の様子が想像される 3.画室には恩師の写真も 4.展示室と画室をつなぐ回廊は、寺院をイメージしたといわれている。瓦屋根も風情がある

玉堂美術館が位置するのは、目の前には御岳渓谷（みたけけいこく）が広がり、裏手には御嶽山（みたけさん）がそびえ立つ自然豊かなロケーション。まさに、玉堂の絵画の世界そのまま。都心の美術館でも玉堂の絵画を鑑賞する機会はありますが、やはり雄大な自然の中で観る玉堂の絵画は格別です。なお、季節に合わせて、作品は展示替えされます。春には春の、秋には秋の自然を描いた絵画が楽しめます（ただし特別展を除く）。

ちなみに、美術館の奥には、玉堂の晩年の画室「随軒（ずいけん）」が復元されています。その随軒と合わせて、見逃せないのが、向かいにある日本庭園です。こちらは、都内では珍しい本格的な枯山水（かれさんすい）の庭園。枯山水ゆえ水は流れていないものの、築地塀（ついじべい）越しに渓流の水の音が聞こえてくるという趣向になっています。この一角はまるで京都のよう。そうだ奥多摩、行こう。

6

5

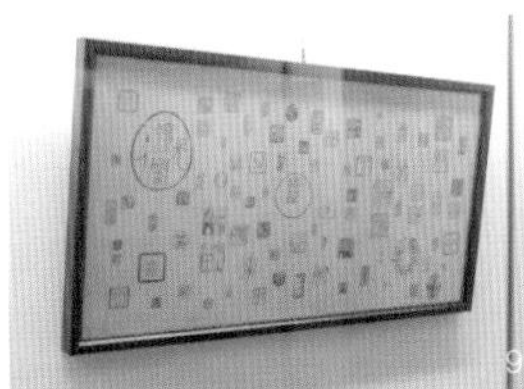
9

8

7

5.かつて奥多摩には天然のスケート場があった。そこを訪れた稲田悦子選手(1936年のベルリンオリンピック出場)を描いた≪氷上≫。玉堂は長靴を履いてリンクに立ち、スケートをする人々をたびたびスケッチしていたそう 6.入り口で出迎えるのは、開館時に昭和天皇と香淳皇后が訪れたことを記念して植樹された紅葉 7.玉堂が自宅に掲げた「楽処隋」の看板はいずこも楽しの意味。晩年の奥多摩での生活を楽しんでいたようだ 8.愛用の岩絵の具は、選ばれた日本画家にしか手に入れられなかった最高級品 9.玉堂の落款印コレクション。歌句作用の雅号である偶庵など、玉堂にはさまざまな落款印がある

玉堂美術館(ぎょくどうびじゅつかん)

設計=吉田五十八/1961年
開=3月〜11月10:00〜17:00(最終入館16:30)、12月〜2月10:00〜16:30(最終入館16:00)/休=月曜日(祝日の場合は開館、翌平日休館)、年末年始、整備休館日、展示替えのため臨時休館する場合も有
入館料=大人500(400円)、大学・中学・高校生400円(300円)、小学生200円(150円)

アクセス

東京都青梅市御岳1-75/JR青梅線「御嶽駅」から徒歩5分

とに〜のここも見て!!

玉堂美術館を設計した吉田五十八(よしだいそや)のオリジナルの展示ケース。山型やハの字の足が珍しい。側面には、「携帯電話禁止」の紙が控えめに貼ってあります。声高に主張しないあたりが、なんとなく玉堂の人柄を偲ばせます。

あゝ懐かしのあの頃の記憶が蘇る

昭和レトロ商品博物館

青梅の街中にも博物館の作品は、飛び出している。たとえばこの電話ボックスも猫をモチーフにした映画看板で装飾している

レトロ商品博物館の前でポーズを決めるとに〜。レトロ商品博物館と赤塚不二夫記念館は通りに2件並ぶ。さらに向かいの通りには昭和幻灯館。こちらは3館共通券があるのでぜひ合わせて訪れたい

『ＡＬＷＡＹＳ 三丁目の夕日』が上映されるずっと前から、〝昭和レトロ〟な街として観光に力を入れていた〝昭和レトロ〟発祥の地・青梅（おうめ）。青梅駅周辺の街並みには昭和の雰囲気が色濃く残り、歩いているだけでタイムスリップした気分になれます。

そんな青梅で特に昭和レトロを感じられる場所が、かつて家具屋だったという建物を改修し、１９９９年にオープンした昭和レトロ商品博物館です。館内には、昭和時代のお菓子や薬、文房具やおもちゃ、ホーロー看板や映画看板など、懐かしのアイテムが所狭しと飾られています。一番の見どころは、駄菓子屋の完全再現。店頭に並べられている駄菓子だけでなく、店頭の奥に飾られた家電やレジといった細部までリアルに昭和テイストが再現されています。１００円を大事に握りしめて駄菓子屋に通っていたあの頃を思い出さ

まるで映画のワンシーンのよう

1.駄菓子屋の前で佇むとに〜。奥にある駄菓子屋のお菓子1つ1つももちろんすべてがホンモノ 2.懐かしの赤電話。レトロ商品博物館の所蔵品のほとんどが寄贈からなる。募集していたら、いつの間にか溢れてしまったのだとか。ちなみに今現在も募集中です……（詳しくは公式HPへ） 3.小泉八雲の「雪おんな」は実は、青梅の“雪女郎”などの言い伝えが発祥。レトロ商品博物館の2階では、この発祥地をめぐる探偵記を展示している 4.急勾配な階段。こんな階段も最近は見なくなったな……これもレトロかな。でも十分気を付けて！

ずにはいられません。

ちなみに、青梅には昭和レトロが感じられるミュージアムが他にも。1つは、昭和レトロ商品博物館の別館にあたる昭和幻燈館。こちらでは、墨絵作家の有田ひろみさんとぬいぐるみ作家の有田ちゃぼさんによる猫をモチーフにしたノスタルジックな作品が常設されています。そして、もう1つは、青梅赤塚不二夫会館。昭和を代表するギャグ漫画家・赤塚不二夫の美術館で、『天才バカボン』や『おそ松くん』の貴重な原画や、トキワ荘を再現したスペースなどを楽しむことができます。こちらの建物はもともと外科医院だったそう。「これでいいのだ」というくらいに不思議と赤塚不二夫ワールドとマッチしていました。

レトロ好きなら一度は訪れたい青梅。くれぐれも、ゆりかもめの青海駅と間違えませんように。

5.板観・映画看板の部屋では、最後の看板絵師・久保板観氏の作品展示が。同氏が手掛けた映画看板は3,000～4,000枚。板観は看板の2文字を入れ替えたもの。観の字は日本画家・横山大観から借りたのだとか 6.隣接する赤塚不二夫会館。バカボンの部屋が再現されている。またかつては外科医院だった場所に漫画原稿やキャラクターの展示も楽しめる 7.昭和幻灯館では、常設で猫たちのぬいぐるみ作品を展示 8.電飾で飾られた作品も 9.昭和幻灯館の外観。グッズも充実しているのでお土産はぜひこちらで！

昭和レトロ商品博物館

開＝10:00～17:00（最終入館16:30）*1／休＝月（祝日の場合は開館、翌平日休館）、年末年始*1
入館料＝中学生以上350円、小学生200円*2

赤塚不二夫会館

入館料＝中学生以上450円（350円）、小学生250円（200円）*2

昭和幻燈館 有田ひろみ・ちゃぼの青梅猫町商店街

入館料＝中学生以上450円（350円）、小学生250円（200円）*2
*1 開館時間、休館日は3館共通
*2 昭和を巡る3館めぐり券＝中学生以上800円（750円）、小学生450円（400円）

アクセス

昭和レトロ商品博物館：東京都青梅市住江町65、赤塚不二夫会館：東京都青梅市住江町66、昭和幻燈館：東京都青梅市住江町9／JR青梅線「青梅駅」から徒歩5分

とに～のここも見て!!

街のいたるところにレトロなスポットがある青梅駅周辺。バス停も電話ボックスももれなくレトロで、まるでタイムスリップしたような気分に。一人で訪れると、ちょっと不安になるかもしれません。

著者：とに〜（アートテラー）

1983年生まれ。元吉本興業のお笑い芸人。
芸人活動の傍ら趣味で書き続けていたアートブログが人気となり、独自の切り口で美術の世界をわかりやすく、かつ楽しく紹介する「アートテラー」に転向。現在は、美術館での講演やアートツアーの企画運営をはじめ、雑誌連載、ラジオやテレビへの出演など幅広く活動している。著書に『ようこそ！西洋絵画の流れがラクラク頭に入る美術館へ』（誠文堂新光社）、『こども国宝びっくりずかん』（小学館）公式ブログ（アートテラー・とに〜の【ここにしかない美術室】https://ameblo.jp/artony/）

写真：青山裕企

1978年 愛知県名古屋市生まれ。筑波大学人間学類心理学専攻卒業。2007年 キヤノン写真新世紀優秀賞受賞。現在、東京都在住。
『ソラリーマン』『スクールガール・コンプレックス』『少女礼讃』など、サラリーマン・女子学生・少女など"日本社会における記号的な存在"をモチーフにしながら、自分自身の思春期観や少女・父親像などを反映させた作品を制作している。お金マイナス・人脈ゼロで、写真を始めて20年、上京・独立してから15年目。ギャラリーや出版社も運営しながら、自分なりの戦略で写真業界を泳ぎ続けている。猫（ニコとカノ）とペンギンが大好きで、究極の晴れ男。

東京都内のレトロ美術館をたくさん巡るなかで、本当に、とに〜さんはアートのことが大好きなんだな、と横でいろんなトークを聞かせてもらうなかで、実感しました。私も写真家なので、アートについての知見を得ることができて、仕事の域を超えて、楽しませてもらいました。
そして、とに〜さんはどんな場所でも、安定した"跳びっぷり"を見せてくれました（笑）。笑っていない写真が多いのは、あえてシュールに見せているので、とに〜さんから溢れるコメディー感も、お楽しみいただけたら、と思います。

取材協力
各美術館および関係各施設
その他多くの方々にご協力いただきました。深く感謝いたします。

東京のレトロ美術館

2020年1月31日　初版第1刷発行

著者　とに〜

発行者　澤井聖一

発行所　株式会社エクスナレッジ
〒106-0032　東京都港区六本木7-2-26
http://www.xknowledge.co.jp/

問合せ先
編集　Tel：03-3403-6796 ／ Fax：03-3403-0582 ／ info@xknowledge.co.jp
販売　Tel：03-3403-1321 ／ Fax：03-3403-1829